文春文庫

# 空港にて

村上龍



文藝春秋

目次

# 空港にて

# コンビニにて

　ざっと見回したところ店の中にはぼくの他に客が七人いた。一人は老人で、一人はぼくと同年代の眼鏡をかけた学生っぽい男、三人目と四人目は作業服を着たおじさんで、五人目と六人目は近所に住む主婦で、最後の一人はランドセルを背負った小学生の子どもだった。小学生はサンドイッチを手にとって眺めている。片方の手に卵サンドを、もう片方の手にはツナサンドを持っていた。ぼくは、レジのカウンターの横に置かれた四角いおでん鍋と肉まんとあんまんの入ったガラスケースを通り過ぎ、蛍光灯に照らされた生鮮食料品のコーナーに向かって歩いているところだ。店内をざっと見回しただけなので、他の客が七人かどうか正確なところはわからない。八人かも知れないし、十一人かも知れない。売場の棚が邪魔になって店内全体を充分に見回すことは不可能だ。

牛乳やヨーグルトやカフェラテといった乳飲料が扉のない平べったい冷蔵棚に並んでいる。老人はそのコーナーの前に立っていた。ぼくと同年代の眼鏡をかけた学生らしい男は、ぼくの視界からいなくなってしまった。しかし店からいなくなったわけではない。客が店から出るときには自動ドアが開閉する音がする。その音は他のどんな音にも似ていない。普段耳にする音の中でも特徴的な音だ。ぼくが店に入ったあとはその音がまだ聞こえない。だから、現在のぼくの視界の中にはいない人間でも、おそらく店の外には誰も出ていない。

店員の一人が携帯電話を一回り大きくしたような機器を持って酒のつまみの棚の前をゆっくりと歩いている。ピーナツやビーフジャーキーやイカの燻製《くんせい》の数を数えて、ペンのようなものでモニターに触れ商品数を確認しているようだ。平日の昼間なので店員の数は少ない。もう一人の店員はキャッシャーの前で、釣り銭用の円筒形の包みを剝がしていた。円筒形の包みからは大量の一円玉がキャッシャーの中にこぼれ落ち、そのうちの何枚かがカウンターの上にもこぼれた。

背後で話し声が聞こえる。作業服を着た二人のおじさんが話しているのだろうとぼくは思った。男の声だし、何かを質問したり、挨拶をしているような感じではなかった。

お互いを知っている二人の男の会話で、そういう会話が可能なのは作業服を着た二人のおじさん以外には考えられなかった。世界遺産という言葉が耳に入ってきた。その言葉の前後をちゃんと聞いてなかったので、二人のおじさんが何について話していたのかはわからない。二人はカップ麺やペットボトルがある奥の通路にいて、レジに向かって進んでいた。フタの部分を送ると世界遺産のカードが送られてくるカップ麺がある。二人はそのカップ麺を買ったのだろうと思った。

牛乳は何種類もあった。ぼくが買おうとしているのは低温で殺菌されていてしかも低カロリーのものだ。パック入りの牛乳の売場の前に老人が立っている。わかるのは相当歳をとっているということだけで何歳なのか見当がつかないが、派手な色の毛糸で編んだベストを着ていた。コーデュロイのズボンの下にはブランドが不明なテニスシューズを履《は》いている。テニスシューズは紐が汚れていて、ゴムの底もすり切れていた。ショッピングバスケットがL字型に曲がった左腕に引っかかっている。籠の中にあるのは電球と週刊誌と魚肉ソーセージだった。電球を保護している四角い厚紙のケースは弾力性を持たせるために規則的に波を打たせてある。ケースの端から電球の一部がはみ出ている。フタのない紙の箱から白く曇ったガラスの球面がはみ出していて、その表面に100と

60という数字とVとWという文字が見える。

その電球は週刊誌の上に置かれていて、週刊誌の表紙の女の顔が隠れていた。女はノースリーブの服を着て、からだの前に両手を突き出すような格好をしていた。ぼくはその表紙の女がどんな色のマニキュアをしているか興味があったが、老人が籠を右腕に持ち替えたので確認できなかった。肘からL字型に曲がった左腕のほうに右手が伸びて、人差し指と中指と親指が籠の取っ手の下に差し込まれ、それを持ち上げた。籠は右手に移り、手首から肘のほうへとその重みで滑っていくように移動した。

ヨーグルトのほうへと老人が左手を伸ばそうとしたとき、店内に女の笑い声が響いた。老人は左手をそのままにして、笑い声が聞こえたほうに首を少し回した。笑い声は二人連れの主婦のもので、すぐに止んだ。高校を卒業してから、ぼくは音響スタジオで働いている。最初やったのは効果音を集める仕事だった。雷や突風や鳥のさえずりといった自然の音や、群衆の笑い声や拍手やざわめきなどをCDに編集した。DATのレコーダーを持って、大勢の人々の笑い声を録りに行った。場所はいろいろだ。結婚式場や飲み屋、寄席やテレビ局のスタジオなどで録った。その仕事を始めたのは四年前で、ぼくは十八歳だった。笑いというのは常に突然に、爆発的に起こるということを知った。笑い声というのはそれだけを聞いてもなぜ人々が笑っているのかはわからない。録ってきた笑い声をスタジオで整音しているとき、小さいころのことを思い出した。

ぼくは幼稚園の年長組だったが、父方の祖母が脳内出血で倒れた。お見舞いに行ったとき、祖母はラジオで落語のようなものを聞いていた。イヤフォンからの小さな音だったので、それが落語だったのか漫才だったのか、あるいはジョークを交えたトーク番組だったのかはわからない。だが大勢の人間の笑い声が聞こえた。耳の穴に埋まっているイヤフォンからかすかに聞こえてきて、まるで幼い鳥の鳴き声のようだと五歳のぼくは思った。そんな鳴き声の鳥が本当にいるのかどうか知らなかったのだが、そのときはそう思ったのだった。

そのかすかな音が鳴るたびに、祖母の表情が緩んだ。祖母のからだの神経は大部分麻痺していたが笑いを理解することはできたのだろう。その音は不規則に、突然に聞こえてきた。そのうちぼくは、祖母がその音を待っているのだと確信するようになった。そのとき祖母は右半身がまったく麻痺していたし、もちろん話すこともできなかった。筆談もできなかったし、首を振ったり、うなずいたりすることもできなかった。できるのはまぶたを閉じたり開いたりすることだけだった。ぼくは祖母のまぶたを眺めていた。

ずっとかすかに震えていて、イヤフォンから笑い声が届くとその震えが止み、目はしっかりと閉じられたり、あるいは一瞬大きく開かれたりした。

他人の笑い声は暴力的だ。二人の主婦の笑い声が聞こえてきたとき、ぼくの目の前にいる老人は飲むヨーグルトのほうに伸ばした手の動きを止めた。老人はその笑い声が起こったほうに首を回したが、対象に正対する前に首の動きを止めた。老人の顔は、乳飲料の棚と、笑い声が起こった方向のちょうど中間あたりで止まった。そのあと老人の顔が変化した。きっと不愉快になったのだと思う。自分の知らないところで、何かが起こり、それは笑い声として彼まで届いた。自分はそのことに関わりがない。その笑い声は老人に向けた何らかの信号ではない。老人は自分が笑われたのではないかと思っているわけではないが、なぜ二人の主婦が笑ったのかわからない。笑い声は、このコンビニの外の通りを走る救急車のサイレンの音とは違う。救急車の音は外の世界での出来事で、二人の主婦の笑い声は完全に外の世界の出来事だとは言えない。

ラジオにつながったイヤフォンから聞こえてくる声と笑い声だから祖母は安心して表情を緩ませることができた。笑い声が病室の中で響いたら緊張しただろう。ラジオやテレビは安心だ。テレビの画面でタレントがワニに食われそうになっても、自分の外の出来事だと最初からわかっているので緊張しなくて済む。それにテレビから聞こえてくる笑い声と一緒になって自分も笑うことができる。しかし自分に関わりのあるところで笑い声が聞こえたらそういうわけにはいかない。テレビのバラエティを見ているときに、バラエティの内容とは関係なく、部屋の中で友人や家族の笑い声が突然聞こえてきたら誰だって緊張するだろう。

今ぼくの目の前にいる老人がどのくらい緊張しているのかはわからない。老人の顔というのは表情を探すのがむずかしい。老人の左手は顔と乳飲料の棚の中間で止まっている。老人の顔は不安そうでもあるし、照れているようでもあるし、少し角度を変えると、微笑んでいるようにも見える。赤ん坊や幼児の表情はわかりやすいが、老人の顔はわかりにくい。赤ん坊の顔を被っている皮膚は張りつめているので変化がわかりやすい。変化がわかりやすくないと母親はミルクをあげることも抱き上げてあやすタイミングもわからない。赤ん坊や幼児は顔をほんの僅か変化させることで自分が不快だということを示さなければいけない。しかし老人はそんなことはない。老人介護をする人はきっと大変だろう。痴呆症の老人は幼児に戻っていくのだそうだ。だが彼は表情がわかりにくい幼児になってしまうのだ。表情のわかりにくい幼児の面倒を見るのは簡単ではないだろう。むしろ大変だろう。痴呆症の老人の介護に当たる人は、表情がわかりにくい顔が、はっきりと笑ったり、はっきりと泣いたりするのを注意して見続けなければならない。ぼくは耐えられないような気がする。

二人の主婦は雑誌の棚と化粧品の棚の間の通路から、生理用品やストッキングを売っている棚のほうに移動中だった。雑誌の棚とカップ麺の棚の間のスペースには、宅急便の申込用紙の記入台と、つけ放しになっているテレビモニターがあった。テレビではミュージッククリップを流している。端末機から現在流れている音楽をダウンロードできます、と書かれた紙がテレビモニターの上に置いてある。黒っぽい画面で歌っているのはぼくのよく知らないバンドだった。二人の主婦の笑い声はそのバンドの音楽のボリュームよりも大きかった。たぶん二人の主婦は老人とは無関係な話題で笑ったのだろう。だが老人は、笑われたのは自分ではないかと思ったかも知れない。ぼくたちはどんなものでも笑いの対象にすることができる。ぼくたちは人間や犬やチンパンジーを笑うことができる。だが虫を笑うのは無理だ。

ぼくと同年代で眼鏡をかけた学生っぽい男がスナック菓子の棚から顔を覗《のぞ》かせている。長髪で、やや太っている。左手をチョコレートボールのほうに伸ばし、右手で目の前に垂れた髪を掻《か》き分けていた。バイト先とかでいじめられているのだろうかと思った。イジメに遭っている人間はだいたい顔つきでわかる。中学のころ、周囲から虫として扱われ続けた男子がいた。ぼくも彼を虫として扱った。出席をとるときもそいつは虫のような鳴き声を出すよう決められていた。そいつの名前を呼ぶとき、ぼくたちはしゃがみ込んで床に向かって呼びかけた。誰かがそいつの名前を呼んで床を踏みしめると、そいつは殺されるようなうめき声を出さなければならなかった。だがそいつが本当の虫だったら、ぼくらは彼を笑うことができなかった。人間なのに虫のように扱うことで、ぼくたちは彼のことを笑っていたのだ。ぼくたちから笑われるとき、彼は自分も一緒になって笑った。だがあるときからそいつの顔が歪《ゆが》んできた。イジメに遭うと人間の顔がしだいに歪んでくるのだとぼくたちは初めて知った。

虫として扱われていた同級生は神経と顔の筋肉がうまくシンクロナイズできなかったのだろう。左手でチョコレートボールを掴んだ小太りの男がさっきあくびをした。ぼくは乳飲料の棚の前に立っていて、老人は左手でヨーグルトを掴もうとしている。作業服を着たおじさんはレジに向かって歩いていて、二人の主婦は生理用品やストッキングを売る棚の前を移動している。小学生は卵サンドとツナサンドをそれぞれ両手に持って、どちらにしようか選んでいる。店員の一人は酒のつまみの棚で商品数の確認をしているし、もう一人はキャッシャーからカウンターにこぼれた一円玉を拾おうとしている。

音響スタジオで仕事を始めたばかりのころ、技師さんにある実験を見せてもらったことがあった。中華料理屋のある一つのテーブルで録った音を聞きながら、そのテーブルで行われている行為をイメージしろと技師さんは言ったのだった。聞かされた音の長さは四十秒ほどで、ぼくはまずそのテーブルを囲んでいる人数をイメージした。話し声から判断すると六人から八人というところだった。料理の数は箸やスプーンが皿に触れる音で判断した。この中華料理屋のテーブルに坐って食事をしている人々は、と技師さんは言った。

実は信じられないような複雑な判断と行為を行っている。一人を仮にAさんとすると、Aさんは、まず回転するテーブルに載っている料理のどれを食べるかを決め、仮にそれが酢豚だったとすると、酢豚の皿が自分の前に来るようにテーブルを回し、その皿のほうに手を伸ばし、実際にその皿を手にとって、自分の小皿に移し、他の人、たとえばBさんかCさんが酢豚を食べるつもりがあるかどうかを確かめ、そのほうにテーブルを回し、同時に全員が現在おもに何を話題にしているかを把握し、その話題に自分も参加できるかどうか、その話題に合ったエピソードを自分が持っているかどうかを探し、話し始めるタイミングを考え、さらに誰に向かってそのエピソードを話すかを考えて、Aさんは口を開くが、それが酢豚を食べるためか、考えついたエピソードを話すためか、脳はすでに決断を下していて、あるときにはその二つを同時に行うこともある。つまり、酢豚の中の豚肉かタマネギかピーマンのどれかを箸でつまみ、それを口まで運び、嚙み始め、同時にBさんかCさんかDさんに向かって、言葉を発し始める。食べ物を嚙むという行為と、それを呑み込む行為は神経系の働きから言ってもまったく別だ。また、話している相手に反応して笑ったり考え込んだりする神経や筋肉の働きと、ものを嚙むために顎を動かし、食道を開いて嚥下《えんか》させる神経や筋肉の働きもまったく別の系統のものだ。音に集中するとそのことがわかる。わたしたちは非常に複雑なことをほとんど無自覚に同時に行っている。とりあえず今のような幼稚なコンピュータ技術ではそんなロボットを作るのは不可能だ。そして、たとえばひどいストレスなどが続くと、わたしたちが普段スムーズに行っている複雑で連鎖的な動作や生理活動に支障が起こる。非常な緊張や驚きのあとで、わたしたちはうまく笑うことができないことがある。また強い不安状態の中では唾液がうまく分泌されないし、ものを呑み込むことがむずかしくなる。

ぼくの父親は東京と埼玉の境目にあるデパートに勤めていた。父親は中部地方の観光地の出身で、誰も知らないような都内の私立の大学を出て、田舎には戻らず、デパートの社員になり、二十代の後半にどこにでもいるような女と結婚し、兄とぼくが生まれた。ぼくが育った町は典型的な新興住宅地だった。駅前には銀行とデパートとスーパーがあり、街道沿いにパチンコ屋や中古車センターやファストフードの店が並んでいた。今ぼくが牛乳を買いに来ているこのコンビニは、駅前の商店街と周辺の住宅地が接している場所に建っている。

小さいころ、ぼくは兄と比べられて叱られてばかりいた。兄は父親似で真面目な性格で、よく勉強した。小学校のころから塾に行っていたが、東京の私立中学の受験に落ち、地元の公立中学に入って、地元の進学校に進み、結局父親と同じようなどうしようもない私立大学に入った。半年で大学を辞め、家でぶらぶらするようになった。新たに受験勉強をするわけでもないし、就職するわけでもなかった。二十歳を過ぎたころ、五歳年上の彼女ができて、池袋にあった女のアパートに転がり込んで同棲を始めたが、一年も経たないうちに別れ、豊島園の近くのスナックでバーテンとして働くようになり、今もその店で水割りを作ったりピーナツや柿の種を小皿に盛ったりしている。

ぼくは勉強しない子どもだった。幼児のころから病気がちだったし、勉強でも運動でもその他の遊びでも、得意なものが何もなかった。中学の進学指導では教師に底辺校を勧められた。お前には何もないんだから早めに人生をあきらめたほうが楽だぞ、みたいなことを言われた。その教師だけではなく、世の中全体から言われていたような記憶がある。兄とは三歳違いだった。ぼくが高校のころ、池袋の兄のアパートによく泊まりに行った。大学を辞めてから兄は変わって、優しくなった。兄の彼女は巣鴨の風俗店に勤めていたので帰りが遅くて、ぼくたちは夜遅くまでビールを飲みながらいろいろな話をした。おれはだまされていたというのが兄の口癖だった。

大学に入ってからだまされていたと気づいたんだがもう遅かった。思い出してみると、中学のときオヤジの勧めているデパートに行って、働いている家具売場であいつがどういう仕事をしているのかをじっと眺めたことがあった。あいつはレジと売場を往復して、客をソファに座らせたり、勉強机の備え付けのライトのスイッチを入れたり、洋服ダンスの両開きの戸を開けたり閉めたりしていた。売場ではずっと笑っていて、レジに戻ってくると暗い顔になった。おれはまだ子どもだったがあんなことをして何が面白いんだろうと思った。おれの小学校からの同級生で、高校からアメリカに行ったやつがいるんだけど、大学に入った夏に久しぶりにそいつと会った。そいつはペリカンで有名な国立公園のあるアメリカの町に住んで、鳥が好きになって、大学で生態学を勉強していて、ニューギニアで三ヶ月の夏期講習をしているんだと言った。将来は中米でフラミンゴの保護をしたいと言っていた。おれにはわけがわからない話だった。

お前はまだ間に合うから何かを探せ、と兄はぼくに言った。オヤジやオフクロや教師の言うことを信じたらダメだ。あいつらは何も知らない。ずっと家の中とデパートの中と学校の中にいるので、その他の世界で起こっていることを何も知らない。ああいう連中の言うことを黙って聞いていたらおれみたいな人間になってしまう。おれはもう何をする力も残っていないんだ。まだ二十歳なのに何かを探そうという気力が尽きた。でもちょっと遅すぎたがまだ気づいただけましだと思うよ。これでテニスとかスキーの同好会に入ったりして適当に大学を出て、オヤジみたいにデパートとかスーパーに就職したりしたらもう本当に終わりだった。オウムに入った連中がおれはよくわかるんだ。気力がゼロになると何か支えてくれるものが欲しくなる。何だっていいんだよ。やっとわかったんだけど、本当の支えになるものは自分自身の考え方しかない。いろんなところに行ったり、いろんな本を読んだり、音楽を聴いたりしないと自分自身の考え方は手に入らない。そういうことをおれは何もやってこなかったし、今から始めようとしてももう遅いんだ。自分で決めつけるのも変だが、よく戦争映画なんかで自分が死ぬことがわかるやつが出てくるだろう。からだ中から力が抜けて、寒くてたまらなくて、深い穴に吸い込まれるような感じがして、自分がもうすぐ死ぬことがわかるんだけど、あれと同じだよ。

小学生は卵サンドにするかツナサンドにするか決めていない。学生っぽい小太りの男はチョコボールから手を離して板チョコに手を伸ばそうとしている。二人の主婦は生理用品の棚の脇を移動している。作業服を着た男二人はカップ麵を数個籠に入れてレジに向かっている。店員の一人は酒のつまみの棚の一番上の列のチェックを終え、チーズボールと串に刺したマグロの佃煮の数量を数え始めた。レジの店員はカウンターに落ちた数枚の一円玉を拾い集めている。ときどき店内を光の帯がよぎる。表をバスが通り過ぎるときに、フロントガラスに反射した陽射しが店の中に差し込むのだ。

老人がぼくの目の前に立っている。老人はチェックのシャツを着ている。音響や録音の仕事をするようになってから、ある場所に立ち止まって目を閉じ、周囲の音を聞くことが多くなった。映画の録音の助手も何度か経験した。ホテルの部屋などで撮影をする場合、役者の演技がすべて終わったあとで必ず部屋の音を録る。アフレコの際に必要になるのだ。ぼくはルームトーンと呼ばれる部屋の音を録るのが好きだった。目を閉じてヘッドセットを耳に当てていると、部屋の音が自分のからだの中に入ってくるのが実感できた。ホテルやマンションだと空調の音が低く響いているし、窓外の車や道路工事の音がガラスで遮断されて小さくなって届くこともある。ルームトーンを録っているときは、監督でも勝手に声を出すことができない。他のスタッフも出演者たちも、息を潜めてぼくがレコーダーを止めるのを待たなければならない。大勢の人間の気配と、そして空調のかすかな音だけが部屋に漂う。ホテルやマンションによって、あるいはその部屋によってもルームトーンは微妙に違う。ルームトーンを録っているうちに、自分は音響や録音の仕事が好きなのだということがわかってきた。ぼくは今年の春からサンディエゴにある映画技術学校に行く。手続きは全部自分でやった。アメリカに行くと告げた日、母親が泣いた。寂しくなると母親は言った。死んでいなくなるわけじゃないんだから、と父親が母親を慰めて、そのあと三人でアメリカ西海岸の地図と映画技術学校のパンフレットを眺めた。

作業服を着た二人の男がレジのカウンターに籠を置いた。カウンターに落ちていた一円玉を拾い終わった店員が、いらっしゃいませ、と言って、バーコードを読み込む電子音が聞こえてきた。店内にまた強い光が充ちて、ぼくは広いガラス窓をよぎっていくバスを見た。バスに乗っている人々がシルエットになっていた。二人の主婦がストッキングなどを売る棚の前を移動する音が聞こえている。一人は硬い踵《かかと》のサンダルで、もう一人はラバー底のパンプスのようだった。バスのフロントガラスが反射する強い光がコンビニの商品と二人の主婦の横顔を一瞬照らし出している。二人の横顔が重なって、輪郭のぼやけた一つの顔のように見えた。強い光が眩しかったのか、老人は目を細めた。そして顔の向きを乳飲料の棚のほうへ戻した。

自動ドアが開く音がして、幼児を抱いた母親が店に入ってきた。カップ麺のバーコードに読み取り機を当てていた店員が、いらっしゃいませ、と大きな声で言った。酒のつまみの棚の前でチーズボールとマグロの佃煮の数量のチェックをしていたもう一人の店員も、いらっしゃいませ、とほとんど同じボリュームの声で言った。自動ドアが開いて外から風が吹き込んできて、店内におでんの匂いが漂った。幼児を抱いた母親は宅急便の用紙が置いてある机のほうに歩きながら女性週刊誌の表紙に人差し指で触れ、どうしようかなあ、と独り言を言った。幼児が何か言ったがぼくのところからは聞き取れなかった。

先日兄の働くスナックまで出かけて、サンディエゴに行く話をした。兄はすごく喜んでくれて、こいつはおれの弟なんだけどアメリカに映画の勉強に行くんですよ、とそのとき店にいた客に言った。きれいな飾り模様がボトルの腹に入ったシャンペンを冷蔵庫から取り出して、おれのおごりだからと客とぼくにグラスを渡して注いだ。客は四人いて、その中の一人のサイトウさんという花屋の店主がアメリカの話を始めた。サイトウさんはシカゴの近くの田舎の町に住んだことがあって、よく映画に出てくるような小さな食料・日用雑貨の店が本当にアメリカの田舎にはあるんだという話をしてくれたのだった。表に必ず公衆電話があって、木の階段を上がって店に入るとアメリカの匂いがするのだそうだ。ホットドッグのマスタードやポップコーンのバターの匂いで、あんな匂いは日本にはないとサイトウさんは言っていた。

卵サンドにするかツナサンドにするか、小学生はまだ迷っている。二人の主婦と幼児を抱いた母親が、お互いにすれ違うときに一瞬だけ目を合わせた。老人がヨーグルトを棚から取って籠の中に入れた。コンビニのロゴが入ったオレンジ色の籠が老人の右の肘のあたりでかすかに揺れている。ヨーグルトの瓶の表面には水滴がついていて、それで週刊誌の表紙が少しだけ濡れた。

# 居酒屋にて

夜の八時を少し過ぎたところだった。わたしは居酒屋にいた。わたしの隣にはわたしの彼氏がいる。その向かいに彼氏の会社の人がいて、わたしの向かいにはわたしの会社の同僚がいる。彼氏の会社の人は恋人を見つけたがっていて、わたしの会社の同僚は彼氏を探していたから、わたしとわたしの彼氏が二人を引き合わせることにしたのだった。わたしの名前は水谷祐子で、わたしの彼氏の名前は堺俊夫だった。わたしはトシと呼んでいた。

トシの会社の人は、さっき名前を紹介された。坂上という名前のようだったがはっきりしない。そのあと誰もその人の名前を呼んでいないから、確認のしようがない。中上という名前だったかも知れない。トシはその坂上か中上かはっきりしない名前の人とそれほど親しいわけではないようだ。わたしの会社の同僚は直美という名前の、わたしより二歳年下の二十五歳だった。

わたしたちは生ビールを飲み、イカの刺身と鶏の唐揚げと枝豆と冷や奴などを食べている。坂上か中上という人は、どういうわけか高校の同級生だという女を連れてきた。その女はラメの入ったピンクのミニのワンピースという水商売のようなファッションで化粧も濃かった。その女の名前はヨシモトサヨコといった。直美は彼氏候補に会うのに一人では恥ずかしいからと水泳教室の男友達を連れてきた。彼はわたしの知らない人で、ツヨシ君という名前だった。

この居酒屋に来るのは初めてだ。場所はJR東中野と中野のちょうど中間あたりにあった。トシがこの店を選んだらしいが、トシが以前にこの店に来たことがあるのかどうかはわからない。カウンターの中に主人らしい人がいて、和服を着てはちまきを締めたアルバイトの女の子たちが注文を聞きに来た。わたしたちの隣のテーブルにはサラリーマンの団体客がいる。わたしたちの横のテーブルには映画や演劇の話をしている七人連れのグループがいた。彼らはすでに相当酔っていて、大きな声で話をしていた。彼らの中にはスキンヘッドの人や長髪を後ろで束ねている人がいた。七人の中で女は二人で、二人とも黒い作業着のような服を着ていた。

壁際にテレビがつけ放しになっているが誰も見ている人がいない。プロ野球が映っていた。投げているのは巨人の桑田で、バッターボックスにいるのは横浜の鈴木だった。恐らくカウンターに坐って一人で飲んでいる人たちがテレビを見ているのだろう。カウンターはわたしの背後にある。どういう人たちがカウンターに坐っているのかわたしにはわからない。

わたしは品川にある配送会社で事務の仕事をしている。仕事は朝の九時から夕方の五時までだ。その会社に勤める前は西麻布のバーでホステスをしていた。トシは家具のチェーン店で働いている。三ヶ月ほど前にタワーレコードでCDを選んでいるときに知り合った。知り合ったときに何を話したか憶えていないが、絵のことは話さなかったし、今も話していない。直美にも絵を描いていることは話していない。直美は高校卒業後に山陰地方から東京に出てきてファッションデザインの専門学校に入ったがすぐに辞めたらしい。男にだまされたと聞いたが詳しいことは知らない。

直美はインターネットの出会いのサークルに入っていて何度かオフ会やねるとんパーティに行ったが、ろくな男がいないといつもこぼしている。それで今夜トシの会社の人を紹介することにしたわけだが、なぜか直美も男友達を連れてきてしまった。ツヨシ君は大学を出たばかりの丸の内の会社員らしい。水泳教室以外で会うのは初めてだと言っていた。

「だからお前は現実を見ていないって言われるんだよ」

そういう声が聞こえたが、どのテーブルからの声かわからない。この店はうるさい。音が充満している。テレビでは桑田がボールを投げようとしているが、どういうわけか音楽もかかっている。有線放送らしいが、ただ音楽が流れているのがわかるだけでどういう曲なのかわからない。はちまきをしたアルバイトの女の子が四人、食べ物や飲物を運んでいる。さっきトシがその一人の子に一瞬目をやって、タイプなんだろうなとわたしは思った。胸の大きな子だった。トシはわたしと付き合う前にサトミという胸の大きな子と付き合っていて、わたしと付き合うようになってからも、ときどき会っていた。

わたしと一緒にいるときに携帯に電話があって、あとでこちらからかけ直すよ、とトシが言う相手は必ずサトミだった。わたしとトシは一緒に住んでいるわけではない。サトミのこともあってトシはわたしに負い目を持っているようだ。サンダルを履いた直美の足元に何か小さな虫がいるのが見える。直美の足の指はふっくらとしている。さっき、坂上か中上という名前の人が何か喋ったが、誰も反応しなかった。わたしは鶏の唐揚げを食べている。ニンニクの味が少しきついが、わたしは今夜は何となくタンパク質を多く含んだ食べ物を口に入れたかった。

わたしのホステス時代の友人にカエデという源氏名の女の子がいて、彼女はプライベートでSMをやっていた。女王様らしかった。確かに身長は高かったが、顔はそんなにきれいでもなかった。通っていた歯医者さんがマゾヒストでその世界を教えてくれたのだと言っていた。歯の治療器具でプレイをしたらしいが、どういうプレイなのかは聞かなかった。

トシはわたしに負い目があって、直美の話をすると、会社の男の人を紹介すると言い出した。直美にそのことを話すと是非紹介して欲しいというのでこういうセッティングになったのだが、わたしは本当はトシと二人きりで話したいことがあった。大事な話なのでこういう居酒屋では話したくなかった。トシはわたしと結婚するつもりらしい。他にも女がいるが結婚するならユウコだとトシは言った。トシがそういうことを言ったのは三週間前のことだった。胸が大きいだけで他には何の取り柄もない暗い女なんだ、とトシはサトミのことを言った。サトミは風俗に勤めているそうだ。他の男のものをくわえた同じ口でおれのをくわえているんだと思うと興奮したりするけどそういう女とは結婚したくないんだよ。

「だからお前は現実を見ていないって言われるんだよ。現実を見るっていうのは、それこそ、期待とか希望的観測とか、先入観を除外して、ありのままに現実を見るっていうことで、これほどむずかしいことはないんだけど、そんなことに誰も気づいてないんだ。お前の作品論なんか誰も聞きたくないし、お前は誰からも期待されていないっていう事実をまず直視すべきだろう。違うか」

そういったことを話しているのは誰なのだろう。サラリーマンの団体だろうか。それともスキンヘッドや長髪の人たちだろうか。直美は、坂上か中上という人のことをあまり気に入らなかったようだ。坂上か中上という人は直美のことを気に入ったようだ。ずっと直美のほうを見て、一緒に連れてきたヨシモトサヨコという女を無視している。ヨシモトサヨコは煙草を吸っている。細長い薄荷入りの煙草だ。昔はわたしも煙草を吸っていた時期があった。ヨシモトサヨコという女はなぜ坂上か中上という男に付いてこの居酒屋に来たのだろうか。坂上か中上という人に知り合いだとみんなに紹介されて挨拶したあとはずっと煙草を吸って生ビールを飲み、誰よりも早く飲み終えてウイスキーの水割りを飲んでいいかと坂上か中上という人に聞いた。ウイスキーのグラスを持つヨシモトサヨコという女の手の甲の血管が青く透けて見える。化粧が濃いせいもあって三十代後半のようにも四十代前半のようにも見える。

テレビでは桑田がボールを投げてバッターの鈴木はそれを見送った。直美の足元を這っている虫の数が増えた。トシの唇に冷や奴の白い欠片が付いているが、それは豆腐には見えない。直美は灰色のタンクトップを着てクリーム色のぴったりとしたパンツを穿《は》いている。わたしは、今夜何を着ていけばいいだろうかと直美に相談された。普通の服でいいと思うとわたしは答えた。だからお前は現実を見ていないって言われるんだよ。現実を見るっていうのは、それこそ、期待とか希望的観測とか、先入観を除外して、ありのままに現実を見るっていうことで、これほどむずかしいことはないんだけど、そんなことに誰も気づいてないんだ。お前の作品論なんか誰も聞きたくないし、お前は誰からも期待されていないっていう事実をまず直視すべきだろう。違うか。

わたしは幼稚園のころ絵を描くのが好きで、いつの間にか好きではなくなった。西麻布の店でホステスをやっていたころ、ある男の人がやって来て、わたしは彼に店の名刺ではなく自分の手描きの名刺を渡した。どうしてその男の人に手描きの名刺を渡したのかは今になっても謎だ。千葉の実家を出たくてお金を貯めるためにホステスを始めたとき、角の丸い小さな水商売用の名刺が恥ずかしかった。そこには自分のものではない名前が書いてあったし、もちろん住所も電話番号も自分のものではなかった。夜一人でその名刺を見ていると悲しくなってきて、コンビニにスケッチブックと色鉛筆を買いに行き、自分で自分の名前と似顔絵を描いて、手描きの名刺を作った。その作業は楽しくて、小さいころ絵が好きだったことを思い出した。夜明けまで描き続けたこともあったが、出来上がった名刺を渡す人がいなかった。誰にも渡すことのない名刺が二百枚近く溜まった。渡す相手がいなかったが、ずっとハンドバッグに入れておいた。それを持っていると、自分の名前を忘れずにすむような気がした。店でその男の人に会ったとき、名刺を渡したくなった。どうしてその男の人に手描きの名刺を渡したくなったのか、はっきりとはわからない。その男の人がどういう仕事をしているのかもわからなかったし、もちろん名前も知らない人だった。ただ一つだけ確かなことがある。ああいうタイプの男の人は、決してこういう居酒屋には来ることがないということだ。トシと付き合う前も、トシと付き合うようになってからも、よく居酒屋を利用した。居酒屋は落ち着くし、そのへんの地中海料理とかわけのわからない店よりもおいしいし安心できる。今、わたしは鶏の唐揚げを食べているが、素直においしいと思って食べている。トシはオニオンスライスを食べ、坂上か中上という男は肉じゃがを食べている。直美は箸でイカの刺身をつまみ、ヨシモトサヨコという女は枝豆を口に入れていて、ツヨシ君はコーンバターをスプーンで掬《すく》っている。誰もが自分の食べたいものを食べていて、無理をしていない。等身大という言葉があるが、居酒屋は常に等身大で、期待を大きく上回ることはないが、期待を大きく裏切ることもない。

だが、居酒屋には他人というニュアンスを感じる人間がいない。西麻布の店で、その男の人を初めて見たとき、この人は他人だと思った。この男の人は自分とは別の人間だということが、まるで体臭のように伝わってきた。よく磨かれた半透明のガラスの板がわたしたちの間に立て掛けられているようだった。たとえばトシと一緒にいるときにはそういうことは思わない。もちろんわたしとトシは違う人間だ。だが、別に抱き合ったりエッチをしていたりするわけでもないのに、トシと一緒にいるだけで、自分のからだとトシのからだの境界が曖昧になることがある。たとえばわたしはテレビを見ていて、トシも同じテレビ画面を見ている。同じ箇所で二人は笑う。テレビを見て笑っているのか、一緒に笑うためにテレビを見ているのかわからなくなってくることもある。またたとえばわたしが雑誌を読んでトシはコミックスを見ている。そういうとき、違うものを見ているのに何だか溶け合っているような感じがする。トシの部屋が広くないせいかも知れないが、トシの部屋にいるとき、自分とトシのからだや心の境界がわからなくなる。そういうときには、時間的な境界も溶けていくような気がする。過去と現在と未来が混じり合って、自分が一億年も前からこうやってトシと一緒にテレビを見たり雑誌を見たりしていて、これからも永遠にテレビを見たり雑誌を見たりするのだろうと思ってしまう。それはぞっとする感覚だ。

トシはどういうわけかわたしに負い目を持っていて、いろいろと妙に気を使うが、暴力を振るうようなことはない。直美の元の彼氏はよく暴力を振るったそうだ。その彼氏に踵で蹴られて、直美の奥歯は一本折れているらしい。よく言い争いはするが、トシから殴られたことはない。直美はその暴力的な彼氏と一緒にいるときひどく緊張したのだそうだ。いつ彼氏が暴力を振るうのか不安で常に緊張していたらしい。記憶を正確に辿《たど》ってみるとその緊張はそんなに嫌いじゃなかった、と直美は言ったことがある。目に見えないガラス板が二人の間にあって、それがいつ割れるかわからないという感じだったと直美は言った。

　わたしは、わたしとその男の人の間に目には見えないガラス板があるような気がして緊張していた。手描きの名刺を渡すと、君は画家か、とその男の人は言った。そんなあ、違いますよ、とわたしは笑った。画家か、と言われてひどく恥ずかしかった。画家がどんな人種なのかわからなかったので、画家ってどういう人なんですかね、とその男の人に聞いた。毎日、しかも一日に二十時間、絵を描き続けても飽きない人間が、画家だ、その男の人はそう答えた。

　坂上か中上という人が、有線放送から流れてくる音楽に合わせて小さな声でハミングをしている。彼にはこの騒々しい店内で音楽が聞こえているのだろうか。テレビでは、桑田が投げて鈴木が見送ったボールに対し、審判がストライクのジェスチャーをした。直美の足元を這っている虫は三匹だった。最初は確か一匹だけだった。虫はどこから現れたのだろうか。サラリーマンの団体が大笑いを繰り返している。誰かが何か言うたびに全員が大笑いしている。だからお前は現実を見ていないって言われるんだよ。お前は誰が見たってゴミ以下なんだ。お前の演技なんか誰も見たくない。どうしてお前は誰か自分に注目してくれるなんて思えるわけ？　それってただの傲慢なんじゃないの。そういった声がわたしの背後から聞こえるが、話しているのは、スキンヘッドの男と長髪の男がいるグループだろうか。ひょっとしたらわたしの頭の中で聞こえている声かも知れない。

誰かが怒鳴っている夢を見ていて、眠りから覚めるときに、その怒鳴り声が実際にはアパートの前の道路工事のドリルの音だったと気づくことがある。確かにわたしは誰かが話しているのを聞いている。それはわたしたちのグループの誰かではない。トシはオニオンスライスを食べているし、坂上か中上という人は肉じゃがを口に入れて直美のタンクトップの胸元に目をやっている。直美はイカの刺身を口に入れるところで、ツヨシ君はコーンバターをスプーンから数粒テーブルにこぼし、ヨシモトサヨコという女は左手にウイスキーのグラスを持って右手の人差し指と中指で煙草を挟んでいる。お前は現実を見ていない、とその声は言っている。考えてみると、わたしの友人や知人の中でそういったことを言うような人は誰もいない。

テレビ、有線の音楽、揚げ物の油が弾ける音、水道の音、笑い声、グラスに液体が注がれる音などでこの居酒屋は騒々しい。はちまきを締めた女の子が絶えず動き回っていてそれが必ず視界に入ってくるし、またさまざまな匂いが充満している。それなのに、どんな音や匂いや視覚にも違和感がない。周囲から際立つものがない。お前は現実を見ていない、という声もまるで雑音のようなものとして聞こえる。道路工事のドリルのような、意味のない騒音がわたしの頭の中でこだまして言葉のように聞こえているだけではないかと思ってしまう。

直美の足元の虫がお互いに離れ始めた。きっと虫は最初から三匹だったのだ。ヨシモトサヨコという女が床に落とす煙草の灰の一片よりも、虫のほうが小さい。三匹が集まっていて、わたしはそれを一匹の虫だと勘違いしたのだろう。直美は薄いブルーのペディキュアをしているが、爪の周囲の肉が盛り上がっているためにきれいに塗れていない。ヨシモトサヨコという女の顔はまるでトカゲのようだった。テレビでは、キャッチャーが桑田にボールを投げ返そうとしている。奥歯に鶏の肉がはさまってしまった。トシはオニオンスライスを食べるときに、右手で持った箸の下に左手の手のひらを添える。それはわたしの父親の仕草と同じだった。わたしの父親は会計士で、わたしが絵を描くのが好きになって、そのことを伝えたときに、お前は画家にどんな苦労が必要かを知らないんだ、というような意味のことをわたしに言った。何でお前が絵を描かなきゃいけないんだ。というようなことを言って、ゴッホという画家が自分の耳を切った話もした。その話は恐ろしかった。画家はみんな自分の耳を切らなければいけないのだろうとわたしは思った。わたしはしだいに絵を描かなくなった。絵を描き続けていたら自分の耳を切らなければいけなくなる、そう思うと、楽だった。実際、絵を描かなくなってから、気分が楽になったのをよく憶えている。それは風邪が治る感じに似ていた。熱が引いて、からだが軽くなる感じにそっくりだった。

西麻布の店であの男の人と会ったあと、わたしはホステスの仕事が休みの日曜日に、二十時間名刺を描いた。一日で千枚ほどの名刺ができて、次の日曜日には絵葉書を作ることにした。その次に、わたしは自分の手をスケッチした。手をスケッチするのは名刺やハガキの何十倍という時間がかかった。わたしはそうやってほぼ二十年ぶりに絵を描き始めたのだが、そのことを誰にも言わなかった。誰かに言うと、昔父親が言ったようなことを言われるのではないかと思ったのだ。何でお前が絵を描かなきゃいけないんだ。確かにわたしが絵を描かなければいけない理由はどこをどう探しても見つからない。だからお前は現実を見ていないって言われるんだよ。現実というのは、この居酒屋のようなものだ。音と視覚と匂いが充満しているが、それぞれに違和感がない。

坂上か中上という人は三十代の前半だろう。紺の背広の下に白と赤のツートンカラーのポロシャツを着ている。トシと同じように昼間は家具のチェーン店のユニフォームを着ているのだろう。そのチェーン店の本社は群馬にあり、中国の業者と提携して安い家具を売っている。トシは府中店に勤めているが、わたしは一度店を訪ねたことがある。絵を描く机が欲しかったのだ。四階建てのビルで、家具屋なのだから当然といえば当然なのだが、売場がものすごく広く、ベッドや棚やソファセットがほとんど隙間なくフロアに並んでいた。トシは買い物に付き合ってくれた。そのときわたしはトシの眼球に無数の家具が映っているのを見た。まるで地球儀のようだった。新しい机が届けられたとき、わたしはその上にB3のケント紙を置いて、まず鉛筆で大きな円を描いた。トシの眼球に映った家具を描くつもりだった。星雲のように渦を巻いて並んでいたベッドや棚やソファセットを描こうと思ったのだ。ある日曜日に二十一時間かけてその絵を完成させ、家具の星雲、というタイトルを付けた。

テレビでは、桑田が次の投球モーションに入ろうとしている。坂上か中上という人は直美のタンクトップの胸元を見ながら有線放送の音楽に合わせてハミングをしている。直美は唇から垂れていたイカの刺身を吸い込んだ。髪を茶色に染めているが根元がすでに黒く伸び始めている。横のテーブルの黒い作業着のような服を着た女の肩が震えているのが見えるが泣いているのか笑っているのか、それとも単に肩を震わせているのかわからない。泣いていても不思議ではないし、笑っていても不自然ではない。ツヨシ君はテーブルにこぼれたコーンの粒を箸でつまんで灰皿に捨てようとしている。

その動作は何かの儀式のようだ。アフリカのある部族の祈禱師は伝統の祭りでライオンの仮面を被って踊るが、彼はライオンのふりをするわけではないと本で読んだことがあった。祈禱師は自分がライオンだと確信している。コーンの粒を箸でつまむツヨシ君にはそういった確信があるのだろうか。ツヨシ君は自分はコーンを箸でつまんで灰皿の中に捨てているという確信がないように見える。彼はコーンの粒を箸でつまんで捨てている人を演じているようだ。ヨシモトサヨコという女は細長い薄荷入りの煙草を吸うという行為を演じていて、坂上か中上という人は有線放送に合わせてハミングすることを演じている。直美は歯でイカを嚙み砕くことを演じている。トシはオニオンスライスを口の中で混ぜ合わせることを演じている。当たり前のことだが、テレビ画面の桑田はブラウン管の粒子の濃度の違いによって像を結んでいるだけだ。テレビモニターの表面に平面的なミニチュアの桑田というピッチャーがいるわけではない。本当は誰もここにいないのかも知れない。たとえば裸でトシと抱き合っているときもそういう風に考えてしまうことがある。先週ひどく暑い夜にセックスをした。わたしは生理だった。終わってから血と汗と精液で汚れたシーツを指差して、生きている証《あかし》だ、とトシが言って、わたしはうなずいたが、本当にそうなのだろうか。シーツを汚しているのは明らかにわたしとトシのからだから出たものだったし、独特の匂いもあった。血も汗も精液も、からだの中で化学的な作用で生産され排出されるだけだ。しかも排出されたあとはすぐにただの物質になってしまう。

いつかトシに絵を描いていることを言おうと思っていたが結局言い出せなかった。なぜわたしはトシに絵を描いていることを言わなかったのだろうか。二十時間以上絵を描くことにしていたので日曜日にはトシに会わなかった。電話がかかってきても応答しなかった。トシには、父親が病気で毎日曜日には実家に帰らなければいけないのだと嘘をついた。彼はわたしの嘘を信じている。あることを決意したので、絵を描いていることと、その決意を今夜トシに正直に言おうと思っていたのだが、どういうわけか坂上か中上という人と直美を引き合わせる飲み会になってしまった。わたし以外は、今夜は飲み会をしたかったようだ。いずれにしろ大事なことを告白するような雰囲気ではない。

わたしはアルルという南フランスの町へ行ってみようと思っていた。ゴッホが住んだ町だ。ゴッホはアルルの町を多く描いている。実際のアルルの風景と、ゴッホが描いた絵を並べて比べた雑誌を見て、わたしはアルルに行ってみようと思った。入院していた精神病院の中庭、夜のカフェ、麦畑、オリーブの木、糸杉など、ゴッホが描いたものはごく普通の景色だった。ゴッホが描いたものを写真で見ると、糸杉のまわりの空気が渦を巻いているわけでも、オリーブの木の幹が微妙に歪んでいるわけでもなかった。だがゴッホは別のものとしてその景色を見たのかも知れない。わたしを描いてくれというオリーブの木の声を聞いた。ゴッホはそういうことを言っている。わたしはアルルに行ってゴッホが見た景色を実際に見てみたいと思った。フランスのバカンスの季節が終わる九月あたりに、アルルにアパートを借りて住んでみようと思った。調べてみると絵を教える教室もあった。フランス語も少しずつだが勉強した。ゴッホが収容されていた精神病院は、若い文筆家や芸術家のための市の施設になっているようだった。今までの貯金は往復のチケット代、それに二、三ヶ月アルルに住むために使う。

トシは家具屋を辞めることはできないだろうし、準備をしていないので一緒にフランスに行くことはできない。彼が一緒に行くと言ってもわたしは拒否しようと思っている。一緒に行きたくない。一人でゴッホが見た景色の前に立ってみたい。トシと一緒だと景色がわたしたち二人に分散してしまう。景色について二人で何か話した瞬間にそれがトシの部屋でテレビを見るのと変わらなくなってしまうような気がする。

　トシはオニオンスライスを食べている。彼はわたしの決意を知らない。はちまきを締めた店の女の子がわたしの背後を通り過ぎた。ツヨシ君はテーブルに転がった最後のコーンの粒を箸でつまんで灰皿の中に捨てた。ヨシモトサヨコという女は手を伸ばしてツヨシ君が捨てたコーンの粒の上に煙草の灰を落とした。トカゲが舌を伸ばしたようだとわたしは思った。黒い作業着のような服を着た二人の女のうちの一人の肩が震えている。うなだれているので彼女は泣いているのかも知れない。現実を見ていないと非難されていたのはあの女なのかも知れない。あの女が見ていなかった現実とはどういう現実だろうか。

　直美の足元の虫は直美のサンダルの陰に進んでいる。浮かせているサンダルの爪先が床に降りるとあの虫たちは潰《つぶ》されてしまうだろう。潰れて死んでも虫たちには何が起こったのかわからない。坂上か中上という人が有線放送の音楽に合わせてハミングしながら生ビールのジョッキを口に運んでいる。ジョッキが顔に近づくと、彼は直美の胸元から視線を外した。ツヨシ君はコーンバターが盛られた皿にスプーンを近づける。テーブルにこぼさないようにさっきよりもっと少ない量のコーンを掬おうとしているようだ。

銀色のスプーンの腹に黄色いコーンが映っているが、わたし以外にはそれを見ている者がいない。

　アルルへ行くと言ったらトシはどういう反応をするだろうか。三週間ほど前に、一緒にテレビを見ている時間がぞっとするほど退屈になって、別れよう、と言ったことがある。トシは冗談だと思ったらしい。わたしが本気だとわかるとサトミという女とは別れると言い出した。今からサトミという女を呼びだして、わたしの目の前で別れると宣言してもいいと言った。そして結婚のことを話し始めたのだった。結婚をしてもおれは風俗に行くのを止めないかも知れない、とトシはそういうことを言った。風俗にいる女はみんなどこか悲しい。風俗の女があっけらかんとしているというのは大嘘だ。あいつらは親からきちんと可愛がってもらってない。だから知らない男のものをくわえても平気なんだ。自分を大切にできない。そういう女を相手にするとユウコがおれにとって特別な存在だということがわかる。おれは風俗でそのことを知ったし、ユウコにはそのことだけはわかって欲しいんだ。その日、トシはそういうことを言いながら泣いた。

　トシはオニオンスライスの束に箸の先を差し込んでいる。トシは一日に二十時間以上家具屋で働くことができるだろうか。坂上か中上という人の唇にビールジョッキの縁が触れた。顔とジョッキが同時に後ろに傾いた。坂上か中上という人の喉が波を打ち始めた。ヨシモトサヨコという女は灰皿の中で黒く汚れたコーンの粒の上から自分のほうに手を引き寄せている。煙草からは薄荷の香りがしているはずだが、他にもさまざまな匂いがあるのでわたしは気づかない。直美はイカの刺身を嚙み終わって呑み込んだようだ。トシの箸がオニオンスライスの束をつまんだ。薄くスライスされた白っぽいタマネギが肌色のかつお節と混じり合って箸で固定されて持ち上げられる。左手の手のひらが添えられている。醬油で黒く汚れたかつお節が箸のすき間からテーブルの上に落ちていく。オニオンスライスがトシの唇に触れ、トシの歯がタマネギを嚙み切る音が聞こえたような気がした。黒い作業着のような服を着た女の肩がわたしの視界の端で震えている。わたしはもうすぐアルルのことをトシに話すだろう。ヨシモトサヨコの手の甲の青い血管がツヨシ君のスプーンの柄に映っているが、わたし以外にそれを見ている人はいない。誰かが咳をしている。サラリーマンの団体がまた大笑いをした。トシの口の中でタマネギとかつお節が嚙み砕かれ混じり合っている。テレビでは、桑田が次のボールを投げた。

# 公園にて

夏祭りのカレーに毒を入れたという容疑で逮捕された女のことを考えながら、わたしは公園に入っていった。公園は住宅街の中にあって、他の地区のものより広いという話だった。他の地区の公園にはわたしは行ったことがないから、本当かどうかはわからない。この公園は、わたしが住んでいる団地から歩いて十二、三分のところにある。団地の中にも公園はあるのだが、決まった顔ぶれに占拠されている。おかあさんたちが坐る場所まで決まっているらしくて、わたしはその中に入っていくことができなかった。

いろいろなタイプのおかあさんがこの公園に集まる。住宅街に住んでいる人もいるし、わたしのように団地に住んでいて団地の公園にはなじめなくてここにやってくるおかあさんもいる。数は少ないが、ここまで車を運転してやってくるおかあさんもいる。時間帯によって公園を訪れる子どもの年齢が少しずつ違う。午前中の公園は歩き始めたばかりの幼児たちが多い。子どもが複数いるおかあさんは朝の仕事が大変なので午前中の遅い時間に現れる。午後になると、保育園や幼稚園の年少組のおかあさんたちが公園に来る。夕方近くの公園では小学生が走り回るので、幼児を持つおかあさんはその頃には帰り始める。小学生と幼児の衝突は重大な事件になってしまうことがあるからだ。

わたしの左手は四歳になったばかりの息子の右手とつながっている。わたしが手の力を緩めると、息子とは接触が断たれてしまうことになる。息子は近所の幼稚園の年少組に今年から通い始めたが、朝の九時に幼稚園のバスに乗って出かけ、お昼過ぎには帰ってくる。昼食を食べさせて、午後から夕方までわたしは公園に行く。

昨日だったか、一昨日だったか、フリーランスの記者をしているというメール友達から、主婦に関する記事を書いているんだけど主婦って公園でいつも何を話しているんですか、という質問を受けた。わたしは二八歳の主婦で息子を連れてほとんど毎日公園に行っているが、他の主婦たちと何を話しているのかほとんど思い出すことができなかった。唯一頭に浮かんだのが、駅前のスーパーよりも団地の横にある薬品の量販店のほうが紙おむつが安いという話題だけだった。

公園はだいたいバスケットのコートくらいの大きさで、楕円の形をしていて、砂場と滑り台とブランコとシーソーがある。周囲には濃い緑の葉を持つ樹木の生け垣があり、二カ所の入り口には、犬を連れて入らないようにお願いいたします、という看板が立てられている。その看板には犬の顔とその上に重ねて赤い×印が描いてあるが、わたしはその看板を見るたびに不愉快になる。まずどうして漫画のような犬の顔が描かれているのかわからない。犬の全身のシルエットを描いたほうがわかりやすいのに、どういうわけか丸い目をした漫画の犬の顔になっている。公園内への犬の立ち入りを禁止しているのだから、犬の立ち入りを禁ずる、とシンプルにそう書けばいいのに、入らないようにお願いいたします、と書いてある。

一度、そういうことを他のおかあさんたちに話したことがあるが、どうでもいいじゃない、と言われたので、二度と話さないようにしようと思った。他人から、どうでもいいじゃない、と言われると本当にどうでもいいことのように思えてしまう。わたしは週に五日毎日この公園に来る。団地内の公園には行きたくないし、遠くの公園に行くにもわたしの家には車がない。電車に乗って公園に行く母親はいない。

さっき、木立の陰にユウジ君のおかあさんが見えた。ユウジ君のおかあさんはこの住宅街に住んでいる。一度わたしのほうを見たが、挨拶しないで、そのまま他のおかあさんたちと話を続けている。そのときわたしは夏祭りのカレーに毒を入れたという容疑で逮捕された女のことを考え始めた。ユウジ君のおかあさんがわたしを無視したわけではないだろう。だが、無視したのかも知れない。ユウジ君のおかあさんは、マミちゃんのおかあさんと、トシハル君のおかあさんと、もう一人の知らない女の人と四人で輪を作って話をしていた。

その四人のグループの向かいに、コンクリートのベンチがあって、そこにはフウタ君のおかあさんとコウスケ君のおかあさんが坐っている。先週、フウタ君のおかあさんは噂の的になった。インターネットの出会い系会員制クラブの女性会員にフウタ君のおかあさんに似た女が載っていたということを、サナエちゃんのおかあさんが他のみんなに話したのだった。そのサイトのアドレスを聞いて、わたしもアクセスしてみたが、女性会員の写真には黒い目線があって、本当にフウタ君のおかあさんかどうかわからなかった。だが、サナエちゃんのおかあさんが言うように、確かにフウタ君のおかあさんに似ていた。顔の輪郭や、唇や鼻の形がそっくりだった。

子どもたちは砂場でひとかたまりになって遊んでいるようだ。木立の陰になってよく見えないのだが、子どもたちはいつも砂場で遊ぶので、きょうもきっと砂場で遊んでいるのだろう。わたしの息子はわたしとつながったまま無表情で公園の入り口を歩いている。昨日は他のおかあさんたちと遺伝子の話をした。コウスケ君のおかあさんが、デブの遺伝子とかハゲの遺伝子とか、人間はすべて遺伝子で決められていて、仕事も恋愛も結婚も運命もその遺伝子のせいらしい、というようなことを言った。雑誌で読んだ知識だった。

わたしたちの会話は、例外がないわけではないが、基本的に誰も他人の話を聞かない。たとえば遺伝子、デブとハゲ、というような単語に反応して各自勝手なことを言うだけだ。コウスケ君のおかあさんはその雑誌を丸暗記するくらい熟読したようで、ロマンティックな遺伝子とか、母性愛の強い遺伝子とか、そういう話をした。電車に乗って知らない人が触った吊り革に触れない人は潔癖症の遺伝子を持っていて、それは理性の遺伝子が強いということでもあるらしい。なぜジョークがうまい人と下手な人がいるかというと、感覚的な遺伝子が強い人ほどジョークもうまくなるという理由らしかった。わたしの夫はまったくジョークを言わないし、無口な人だったが、みんなの意見によると、それはきっと無口な遺伝子の持ち主だからだということだった。その話題はかなり盛り上がった。子どもには自分の遺伝子が半分伝わっているのだそうだ。

わたしのお喋りな遺伝子は伝わっていなくてどうも主人の他人の目を気にしない遺伝子が入っているみたい、とユウジ君のおかあさんは言った。わたしも主人も何も言わないのに、うちの子が自分からピアノを習いたいって言ったのはきっと音楽家の遺伝子があったからで、わたしの祖母は明治生まれなのにピアノを弾いてたってことを思い出したの、とトシハル君のおかあさんが言った。良い母親の遺伝子というものがある、とコウスケ君のおかあさんが言って、それは良い母親から受け継がれる、と言った。幼児虐待とかを受けて育った女は自分の子も虐待するってよく言うでしょう。

サナエちゃんにはフェロモン遺伝子があるようだと、ユウジ君のおかあさんが言った。確かに公園に集まる男の幼児たちはみんなサナエちゃんの傍に集まった。サナエちゃんのおかあさんはフェロモンも遺伝するということを言った。要するに自分がフェロモンの遺伝子を持っているということを言いたかったのだと思う。思いやりの遺伝子を持つ男の特徴を、コウスケ君のおかあさんが教えてくれた。まず一重まぶたで、耳が下付で、えくぼができて、なで肩で、ひょうたん形の耳を持っていて、前歯が他の人に比べて大きく、うなじが山の形をしていて、まばたきの回数が多くて、足が幅広ではなく甲高である、それが思いやりの遺伝子を持つ男の特徴らしかった。

情熱家の遺伝子を持つのは、髪のつやが豊かで、腕の血管が浮いていて、唇が厚く眉が濃くて、まつげが長くひげが濃い男らしかった。

フウタ君のおかあさんはみんなが話すのを微笑みながら聞いていたが、わたしと二人で帰るときに、遺伝子というのはああいうものじゃないんだよね、と言った。そのときに初めて聞いたのだが、フウタ君のおかあさんは生物学の研究者だった。関西のほうで研究所に勤めていたらしいが、フウタ君が生まれたのと、ご主人の仕事の都合で辞めたのだそうだ。ご主人は何か文章を書く仕事をしていた。研究所を辞めて、こつこつレポートを書いていたが、完成したのでアメリカの大学に送ったら、認められて、留学を勧められたので、来月家族全員でアメリカのほうに移り住む、フウタ君のおかあさんはそういうことを言った。

遺伝子というのは生命活動に必要なタンパク質を作るだけなのよね、フウタ君のおかあさんはそう言って、苦笑いをした。もう少し正確に言うと遺伝子はタンパク質を作る指令を出すだけだから、デブの遺伝子とかハゲの遺伝子とかフェロモンの遺伝子とか音楽家の遺伝子とかそういうものはないんだけど、ああやって盛り上がっているときにそういうことを言うと浮いてしまうから言えないんだよね。

フウタ君のおかあさんが、どうしてわたしにそういうことを話すのか不思議だったが、きっとわたしたちが二人きりだったからで、二人きりなら誰でもよかったのだろうと思った。大勢でいるときには話せないことがある。原則としては、シリアスな話題をみんなの前で話すことはできない。シリアスな話題で話すことができるのは、他人の噂話と悪口だ。フウタ君のおかあさんは留学の話をした。アメリカのボストンという街らしかった。わたしはその街の名前を聞いたことがあった。主人は経済関係の記事を書いているんだけど、アメリカから記事を送れば少しお金になるし、僅かだけどわたしに奨学金も出るみたいだから思い切って決めたの。

フウタ君のおかあさんがそういうことを言ったとき、わたしが思ったのは、インターネットの出会い系サイトの女性会員に登録しているという噂のことだった。アメリカに引っ越すのはその噂をうすうす感じていて、その噂から逃げたかったからだろうと思った。フウタ君のおかあさんはショートカットで紺色のブルゾンを羽織り、灰色のジーンズをはいて靴はごく普通のスニーカーだった。小柄だったが、顔立ちは整っていた。楕円形の公園に集まるおかあさんたちには共通点と相違点があった。共通していたのは、だいたい顔立ちが整っている人ばかりということで、違っていたのはその経済力だった。住んでいる場所がそれぞれ微妙に違っているので、経済力が違っていてもグループを構成できる。同じ団地内に住んでいるとか、あるいは家が近いと、お互いに一緒に食事をしたり、子どもを食事に招き合ったりするので、経済力に差があるとしこりが生まれる。単に一緒に買い物に行く場合でも経済力に差があると関係がうまくいかなくなる。スーパーにもランクがある。駅前には高級食料品店があるし、団地の傍にあるスーパーは安い。団地の住人で駅前の高級食料品店のビニール袋を提げて歩いている人は敬遠される。そういうことを理解している人は決して高級食料品店のビニール袋を持ち歩かない。たとえ高級食料品店で買い物をしても、自分の買い物袋に入れて団地内を歩くようにしている。安いスーパーに買い物に行っても、肉の値段が違う。普段何の肉のどの部分を食べているか、一緒に買い物に行くとわかってしまう。わたしたちは日常的にそういうことを意識して公園の仲間を選んでいるわけではない。ただ、本能的に深刻な衝突を避けているのだ。

楕円形の公園では経済力は問われない。無意識のうちに問われているのは容姿だ。一ヶ月ほど前に、ひどく太ったおかあさんが楕円形の公園にやってきたが、すぐに来なくなった。わたしたちはそのおかあさんを虐《いじ》めたわけではないが、避けていたと思う。避けるのは簡単だ。一度か二度、話しかけられたときなどに、それを無視して自分の子どもに近寄ればいいのだ。あるいは挨拶をするときに笑顔を見せないようにしても、避けているということがその相手に伝わる。

昨日フウタ君のおかあさんと別れてから、わたしはもう一度その出会い系のサイトにアクセスした。紳士と淑女の出会いのお手伝い、とサイトの玄関に書いてあるが、レディースコミックに載っている女性会員募集の広告を見ると事実上の売春だった。募集広告には、一ヶ月四十万円保証、男性会員は大企業の管理職か弁護士、医師など身元が保証できる紳士ばかりです、という風に書いてあった。男性会員になるためには入会金として五万円、それに一回の紹介料として二万円が必要だった。もちろん女性会員には入会金は要らない。フウタ君のおかあさんにそっくりの女性は会員番号がT0235で、年齢が二七歳、主婦で、趣味はガーデニングとSMだと自己紹介があった。子どもがまだ小さいので一週間前にお会いできる日にちを決めていただきたいと思います。会えるのは平日だけで、それも夕方の五時までです。性格は控え目ですが、大胆なことが好きです。落ち着いた感じの紳士の方と割り切った交際を希望します。

　Ｔ０２３６は二九歳、ＯＬ、趣味は旅行。Ｔ０２３７は二〇歳、アルバイト、趣味はドライブ、カラオケ。Ｔ０２３８は二二歳、フリーター、趣味は音楽、映画、買い物。Ｔ０２３９は二四歳、会社員、趣味は料理、旅行、ＳＭ。Ｔ０２４０は二七歳、ＯＬ、趣味はスキー、ダイビング。Ｔ０２４１は二七歳、フリーター、趣味はファッションチェック。Ｔ０２４２は二二歳、学生、趣味はダンス、音楽鑑賞。Ｔ０２４３は三一歳、フリーター、趣味はゴルフ。二六歳、主婦、趣味は風水、占い。三三歳、看護婦、趣味はマリンスポーツ。二四歳、フリーター、映画、ドライブ。三〇歳、タレント、海外旅行。二三歳、フリーター、スノボーとサーフィン。一九歳、学生、読書とソフトＳＭ。二八歳、主婦、お菓子作り。二四歳、パーティコンパニオン、和裁。二五歳、家事手伝い、ボンデージ。三一歳、主婦、パソコン。二一歳、ＯＬ、映画鑑賞。二二歳、ＯＬ、音楽。二九歳、主婦、ドライブ。二五歳、ＯＬ、カラオケ。三五歳、主婦、映画。二八歳、主婦、食べ歩き。二二歳、会社員、骨董。二九歳、主婦、散歩。二七歳、ＯＬ、登山。三三歳、主婦、カラオケ。二七歳、主婦、ＳＭ。彼女たちはからだを売っている。

　楕円形の公園の入り口には砂利が敷いてある。サンダルで踏みしめると、無数の虫を踏みつぶすような音がする。ユウジ君のおかあさんがわたしのほうを見たが、微笑みもしないし、会釈もしない。確か昨日ユウジ君のおかあさんはわたしに向かって微笑んで手を振ったような気がするが、それはサナエちゃんのおかあさんだったかも知れない。マミちゃんのおかあさんとトシハル君のおかあさんと一緒にいるのは誰なのだろうか。知らない女の人は緑色のダウンのコートを着ている。わたしたちが楕円形の公園で話すのは、他人の噂と、子どもの健康と、姑や夫の愚痴、買い物の情報、そんなところだ。わたしが夫に話すのは、子どものこと、近所で聞いた話、他に何を話しているだろうか。

フウタ君のおかあさんそっくりの女性会員は出会い系のサイトに、趣味はガーデニングとSMだと自己紹介していた。二七歳の主婦は裸の誰かを鞭で打つのだろうか。それとも誰かに裸で鞭で打たれるのだろうか。昨日、フウタ君のおかあさんからボストンに留学することを打ち明けられた日の夜、そのことを夫に話した。わたしの夫は埼玉の大手デパートの家具売場の主任をしている。夫はビールを飲みながら夕刊を読んでいて、わたしはキッチンで揚げ物をしていた。息子はテレビのアニメを見ていた。玄関のチャイムが鳴って、わたしは揚げ物をしていたのでガス台の傍を離れることができなかった。夫はチャイムが鳴り続けても玄関に立とうとしなかった。息子はリモコンのボタンを押してテレビの音を大きくした。最近リモコンの操作を全部覚えてボタンを押したくてしょうがないのだ。わたしは大声で叫びそうになったが、どう叫べばいいのかわからなかった。玄関のチャイムは鳴り続けた。息子はテレビの音量を最大にした。夫はビールを飲み続けている。わたしは玄関に向かったが、途中で立ち止まり、夫に向かって、フウタ君のおかあさんはボストンの大学に留学するんですって、と言った。夫は、フウタ君って誰だ、とわたしの顔を見ずに答えた。テレビにはアニメのキャラクターがアップになっていて、油鍋からは黒い煙が上がり始め、チャイムは鳴り続けていた。天ぷら油の匂いが鼻の奥に入ってきて、目の奥が痛んだ。水泳で鼻に水が入ったような感じだった。わたしは沸騰する鍋の中の海老コロッケを取り出して、ガスを止め、息子のリモコンを取り上げて音量を絞り、玄関に走っていって、ドアを開けた。紺色のスーツを着た知らない男の人が立ち去るところだった。その後ろ姿を見ながら、あの、と声をかけると、男の人は振り向いて、そこに誰かいたぞ、と大声で言った。そこに誰かいたんだよ。煙草の吸い殻が落ちているだろう。下を見てみろよ。

コンクリートの床を見ると、確かに煙草の吸い殻が五つ、六つ落ちていた。おれはお前に注意してやったんだよ。スーツを着た男はもう一度怒鳴った。若くて、目の吊り上がった男だった。男が走りだし、階段を降りていった。部屋に戻ると、夫が、誰だったんだ、と聞いた。誰か外で煙草を吸っていたみたいで、知らない人がそれを注意してくれたの、とわたしは答えた。そうか、と夫は新聞から顔を上げずに言った。怒鳴り声が聞こえなかった？　とわたしは夫に聞いた。ちょっと聞こえたけど何かあったのか、と夫はわたしを見た。わたしはどういう顔をすればいいのかわからなかった。わたしは、あの若い男から、フウタ君のおかあさんが裸になって鞭で打たれるところを想像していた。夫はしばらくわたしの顔を見ていたが、やがてまた新聞に視線を戻した。

どこかで子犬の鳴き声がする。わたしは子犬が嫌いだ。ユウジ君のおかあさんがずっとわたしを見ているような気がする。わたしは夏祭りのカレーに毒を入れたという容疑で逮捕された女のことをよく考えるが、そのことを誰かに喋ったことはない。あの女が本当にカレーに毒を入れたのだとしたら、それはなぜだと思う？　とわたしは誰かに聞いてみたい。ユウジ君のおかあさんは襟に毛皮のボアがついた腰までの長さのレザーコートを着ている。あのコートは有名なブランドのものだ。どんなに安くても二十万円はするだろう。隣のトシハル君のおかあさんもレザーのブルゾンを着ていた。その横にいる知らない女の人のダウンコートにもふんだんにレザーが使われている。その三人と向かい合うように立ってしきりにうなずいているマミちゃんのおかあさんは、太い毛糸を編んだセーターだが、パンツがレザーだ。今日はレザーを着て公園に集まりましょうね、という申し合わせでもあったのだろうか。

わたしのパンプスが砂利を踏み分ける。楕円のもう一つの端にある入り口からサナエちゃんとサナエちゃんのおかあさんが公園に入ろうとしているのが見えた。ユウジ君のおかあさんがサナエちゃんのおかあさんに右手を上げて挨拶した。さっきユウジ君のおかあさんはわたしを見たが挨拶をしなかった。気にしないようにしようとわたしは自分に言い聞かせる。楕円形の公園では日々こういうことが起こっているのだと誰かに聞いて欲しい気持ちになるが、実際の話そんなことは誰にも話せない。人間は誰でも、誰にも言えないことを一つや二つ持っているものだと、映画の台詞にそういうのがあった。だがどんな映画だったかは思い出せない。わたしの息子は下を向いてゆっくりと歩いている。左手から小さな生き物の感触が伝わってくる。その感触を愛しいと思うときと、もうたくさんだと思うときがある。マミちゃんのおかあさんのレザーパンツが午後の日差しで光って、ユウジ君のおかあさんの襟元の毛皮がかすかな風に揺れている。みなさんどうしたの。今日はお揃いで素敵なレザーじゃないですか。きっとわたしはそういう風に言わなければならないだろう。そう言ったときに、知らない女の人もいることだし、わたしは無視されるかも知れない。これまで何人かのおかあさんがそうやって無視されてきた。

四人連れのユウジ君のおかあさんのグループか、それともコウスケ君のおかあさんとフウタ君のおかあさんの二人連れのほうか、わたしはどちらのグループに近づくつもりなのだろうか。フウタ君のおかあさんは昨日と同じ紺色のブルゾンを着ている。コウスケ君のおかあさんはピンクのカーディガンを着て、首にスカーフを巻いている。あの柄はフェラガモかエルメスだ。コウスケ君のおかあさんがコンクリートのベンチから立ち上がり、フウタ君のおかあさんから離れて、四人連れのユウジ君のおかあさんのグループのほうに歩いていくのが見えた。公園は日が照っているが、ときどき冷たい風が吹いている。冷たい風が吹くたびに、フウタ君のおかあさんは両手に息を吹きかけて暖めている。わたしは昨夜チャイムを鳴らし続けた男のことをみんなに話そうと思った。最近変な人が増えているから気をつけないと。ユウジ君のおかあさんたちもそういう話題なら興味を持つかも知れない。ねえ、フウタ君のおかあさんもこちらに来て聞いてよ。そう言ってフウタ君のおかあさんも四人連れのグループのほうに呼び寄せる。変な男がいたのよ。ドアの前に。それで何度もチャイムを鳴らして表に出ると、ドアの前に誰かいたぞ、ってそんなことを言うの。それはいつのことなの？　とマミちゃんのおかあさんが眉を寄せて真剣な表情で質問をするような気がする。

サナエちゃんがおかあさんの手を振りきって走り出し、サナエちゃんのおかあさんもその後を追って小走りに駆け出した。あっという間に四人連れのグループに近づいて、何か紙切れのようなものをユウジ君のおかあさんに手渡した。あれはたぶんユーミンのコンサートのチケットだろうとわたしは思った。サナエちゃんのおとうさんは防災専門のシステムエンジニアで武道館や東京ドームの火災防止システムを担当しているらしくて、普通なら絶対に手に入らないようなチケットを入手することができるらしい。ユウジ君のおかあさんは一昨日、サナエちゃんのおかあさんに、ユーミンのクリスマスコンサートのチケットを頼んでいた。サナエちゃんのおかあさんはそれを入手して、公園に持ってきたのだ。もう誰もわたしの話を聞かない、そう思った。玄関のチャイムを何度も鳴らした男の話よりも、ユーミンのコンサートチケットがいかに入手困難かを話すほうが、サナエちゃんのおかあさんもユウジ君のおかあさんも楽しいに決まっている。一人は入手困難なチケットを入手し、一人はチケットが入手困難なコンサートを見に行くのだ。どうしてわたしの息子は友達が集まっている砂場に急がないのだろう。木立の向こう側に友達が遊んでいる砂場が見えているというのにわたしの息子は走り出そうとはしない。サナエちゃんは走った。走り出したサナエちゃんを追う形でサナエちゃんのおかあさんも走ったので、チケットをユウジ君のおかあさんに手渡すことができたのだ。

もし本当に犯人なら、あの女はどうして夏祭りのカレーに毒を入れようと思ったのだろうか。何かを終わりにしたかったのだろうか。それとも何かを始めようとしたのだろうか。フウタ君のおかあさんが本当にT0235の女性会員だとしたら、彼女は本当に裸になって誰かに鞭で打たれているのだろうか。フウタ君のおかあさんが、目を擦《こす》っている。目にゴミが入ったのかも知れないし、ひょっとしたら泣いているのかも知れない。泣いているのだとしたら、誰かが噂について話したのだ。まさかそんなことはないと思うんだけど、フウタ君のおかあさんにそっくりな人が出会い系サイトの女性会員にいたのよ。先週、サナエちゃんのおかあさんはみんなにそう報告したが、あなたはどうしてそんなサイトを知っているの、と誰も聞かなかった。あとになって、サナエちゃんのおかあさんとフウタ君のおかあさんが楕円形の公園にいないときに、コウスケ君のおかあさんが、わたし考えたんだけどサナエちゃんのおかあさんはいつも出会い系のサイトとかチェックしているのかしら、と言って、みんなが笑った。わたしも一緒になって笑った。

　砂利が敷かれた入り口から公園の中に入っていくときにわたしは想像した。フウタ君のおかあさんが泣きながら公園を出ようとする。砂場からフウタ君を連れ出し、手を引いてわたしのほうに歩いてくる。フウタ君のおかあさんは、わたしに言う。

「わたしはこの公園とこの国から出るの」

　わたしの想像は途切れた。ユウジ君のおかあさんがわたしのほうを向いて手招きをしている。わたしは急ぎ足になった。ユウジ君のおかあさんは右手で握ったチケットらしい紙切れをわたしに示している。公園の中央に五人の長い影ができている。ユウジ君のおかあさんは、隣にいる知らない女の人を紹介してくれるだろう。わたしはきっと、チケットを見て驚いたあとで、五人のファッションを誉めるだろう。そのあとでわたしは夫の愚痴を言うだろう。デパートの家具なんかもう誰も買わないのにね。

　コンクリートのベンチに坐ってフウタ君のおかあさんがわたしを見ている。彼女は泣いていなかった。わたしは五人連れのグループの輪の中に加わろうとしている。フウタ君のおかあさんは、わたしから視線を外し、空を見上げた。

# カラオケルームにて

このカラオケルームに来る前に、駅のホームに佇《たたず》む五十代前半の男を見た。灰色のコートを着て背中を丸め、黒い革の鞄をからだの前で抱えるように持っていた。眼鏡をかけていたかどうか思い出せない。かけていたような気もするし、眼鏡はなかったような気もする。いずれにしろわたしとほぼ同年輩の、どこにでもいそうな中年の男だった。何本かの電車がホームに入ってきたが、その男は電車に乗ろうとしなかった。駅員がじっとその男のほうを見ていた。

目の前のソファに二人の女の子が坐っている。わたしが駅前の通りを歩いていたら彼女たちから声をかけてきた。お腹が空いたので何か食べさせてくれないかと二人のうちの一人が言って、何が食べたいのかとわたしが聞き、結局三人で駅前通りの端にあるファミリーレストランに入った。わたしたちはほとんど無言でスパゲティとハンバーグ定食とサンドイッチを食べた。髪を赤く染めている一人が、イタリアに行ったことがあるかとわたしに聞き、ない、と答えると、なるほどねと言って、何度かうなずいた。

わたしはその二人の女の子をカラオケルームに誘った。一時間だけという約束で彼女たちはわたしの誘いに応じた。きっと一時間後には彼女たちはわたしに金を請求することだろう。週刊誌でそういう記事を見たことがある。ファミリーレストランからカラオケルームまでの道で、子どもはいるのか、と髪を金色に染めた女の子がわたしに聞いた。家族の話はしたくない、とわたしが答えると、なるほどねと言って、何度かうなずいた。

最初にわたしが歌うことになって、スピーカーから前奏が流れている。目の前のソファで金色の髪と赤い髪が寄り添って何か話している。お互いの耳元で怒鳴り合っているが、カラオケの前奏の音が大きくてわたしにはまったく聞こえない。赤い髪の女の子は襟元にウサギかキツネの毛皮のついた茶色のセーターを着て、似たような色のスカートと黒いストッキングを穿き、赤いハーフブーツを履いている。金色の髪の女の子は黒い革のスラックスを穿いて、眉のところに銀のリングを入れ、雑誌をテーブルに拡げていた。

二人はわたしを無視しているようだ。わたしが歌おうとしている曲だが彼女たちはきっと知らないだろう。わたしが選んだのは昭和三十年代のヒット曲だった。このカラオケルームに入るときに、二十代前半だと思われる男の店員がわたしたちを見た。わたしの家はこのカラオケルームからバスで四十分の距離だ。あの店員は、五十を過ぎたオヤジが髪を染めた若い女と一緒にカラオケを歌いに来たと、誰かに言うだろうか。二人の女の子は埼玉のほうから遊びに来ているらしい。二人は地元に住む女の子ではないので、あの店員も彼女たちが誰か特定するのは不可能だろう。

前奏が聞こえているが、メロディを奏でている楽器の名前をわたしは思い出すことができない。トランペットではなかった。トランペットはラッパ型をしているが、この前奏のメロディを奏でているのは同じ金管楽器でももっと複雑な形をしている。全体の形はアルファベットのSの字に似ている。わたしはその形を思い描いているが、楽器の名前を思い出すことができない。さっき駅のホームに佇んでいた五十代前半の男は駅員に保護されただろうか。それとも電車に飛び込んで自殺したのだろうか。彼が自殺を考えていたのは間違いない。

赤い髪の女の子が、テーブルの上の雑誌のあるページを指先で示している。グラビアのページだったがわたしからはページの天地が逆になっているのでどういう写真が載っているのかがよくわからなかった。海の傍の家の写真のような気がするがはっきりしない。薬などの瓶を写した写真かも知れない。家だとしたら相当高級な家だろうとわたしは思った。わたしは家電メーカーの部品下請け工場の営業をやっていたが今年の夏に工場が閉鎖になった。あと七年で定年だったし、それほど会社に愛着があったわけではない。

カラオケの機械のあちこちに灯りがついてそれが点滅している。カラオケには何度も来たことがあるがその機械をこうやってじっと眺めたことはなかった。部屋は薄い緑色の壁紙が貼られている。細長い部屋で広さは四畳か五畳というところだろう。壁に、焼きそば始めました、と描いた画用紙が貼ってある。焼きそば、という言葉には赤い色が重ね塗りしてあった。入り口とは反対側の天井からモニターが吊り下がっていて、曇った空を旋回する鳥が映っている。前奏が終わるころにはモニターに歌詞が表示されるだろう。その歌詞の最初の言葉は、確か北風か、あるいは太陽だった。目の前のソファに座っている二人の女の子は、二人とも同じように荒れた肌をしていた。二人とも頬に吹き出物ができていて、その上に厚い化粧を施している。通りで声をかけてきたときに、高校生？　と聞くと、首を振って、フリーターだと言った。わたしはファミリーレストランでサンドイッチを食べながら、何かアルバイトをしているのかと聞こうと思ったが結局そういった話題を出すのをためらった。

二人の年齢はおそらく十五歳から二十五歳の間だろう。わたしは十八歳のとき東北地方から上京した。東京近郊の私立の大学に入り、卒業して、実家に戻れば県庁へ就職できることになっていたが帰りたくなかった。わたしが上京する前年に東京オリンピックが開催された。東京近郊に住むようになってすぐに、わたしは仕送りの金を貯めて中古のキヤノンの一眼レフを買った。国立競技場で記念写真を撮り、それを何枚も焼き増しして故郷に残った友人や家族に送った。

就職した当時会社は景気がよかった。入社式の日、わたしは工場の門の前で記念写真を撮り故郷に送った。その工場には、わたしの故郷の近くから集団就職をした人間が何人かいた。中山もその一人だった。中山の生まれ故郷とわたしの実家は列車でわずか一時間しか離れていなかった。二人の女の子の、赤い髪と金色の髪の隙間に中山の顔が現れたような気がして一瞬鳥肌が立った。中山は何かの隙間のような顔をしていたのだと初めて気づいた。ペン立てと卓上灯の隙間とか、本立てと煙草の箱の隙間とか、電話の子機と鉛筆削りの隙間とかに見える焦点のぼやけた何かに似ている顔をしていた。自分は非常にラッキーなのだと中山は言った。

中山によれば、集団就職で東京に出てくる中学生のほとんどは、従業員が二十九人以下の町工場がおもな働き口だった。首都圏の地元の中卒者は大工場に就職することができた。中山が上京してきたのは東京オリンピックの二年前だった。従業員一万人の大企業から従業員四人の零細企業まで一律に人手が不足していて、低賃金の単純労働に耐える中卒者は、どんな企業でも喉から手が出るほど欲しかったのだ。首都圏の地元出身の中卒者は、宿舎が不要なことから大規模製造業などに就職することができた。東北などからの集団就職の中卒者はおもに住み込みで零細の町工場に就職したのだった。つまり大都市圏の中卒者が敬遠するような職場や職種に就いたのだった。中山はそういった話に詳しかった。零細企業で働く同級生がいて、そういった連中としょっちゅう会っていたらしい。そういった会合では必ず職場の話題が出るので、そういった連中に会うと優越感を持つことができるのだと中山はいつも言っていた。そういった連中の一人に近藤がいた。わたしはもちろん近藤には会ったことがないが、中山からずっと聞かされていたので今でもその名前を忘れたことはない。近藤という名前の人間は他にも大勢いるのだろうが、近藤という名前を聞いて思い出すのは中山の同級生の近藤だ。

中山が有名家電メーカーの部品下請け工場に就職できたのは、相模大野に親戚が住んでいたからだった。近藤は首都圏に親戚も知人もいなかった。従業員の数が六人という大田区羽田の銅メッキ工場で近藤は働いていた。中山は、近藤の先輩の堀山のアパートに行ったことがあって、そのときのことを繰り返しわたしに語った。近藤は四畳半の三人部屋に住んでいたので、中山が遊びに行っても、息苦しくて話をすることができなかった。当時はファミリーレストランやゲームセンターやカラオケルームがなかった。中山と近藤はどこにも行く場所がなくて、近藤が堀山のアパートに行くことを提案したのだった。休日のひまなときは遊びに来いよと、近藤は、先輩である堀山に常日頃から言われていたらしい。

大田区の外れのどぶ川のほとりに堀山のアパートはあった、そう中山は言った。当時中山や近藤は十六歳だったが、堀山は三十代後半で結婚していて子どもが四人いた。親子六人が六畳の部屋に住んでいた。中山と近藤が遊びに行くと、堀山はテレビを見せてくれた。六畳の部屋にはテレビや電気冷蔵庫や大きなタンスがあって、どうやってこの部屋に六人が寝るのだろうと中山は思ったらしい。寝るときにはこのテレビの足の隙間に足を入れるんだ、と堀山が言って、実際に寝るときの姿勢を再現してくれた。近藤はその後すぐにからだを壊して銅メッキの工場を辞め、墨田区の旋盤工場で働いた。お前がうらやましい、近藤は中山にいつもそう言っていたそうだ。ファミリーレストランで、わたしは二人の女の子に、君たちのどちらかは、中山か、または近藤という苗字じゃない？　と聞いた。そんな苗字じゃないと二人は怪訝《けげん》そうな表情になって、どうしてそんな風に思うのかとわたしに聞いた。わたしは、別に、と答えを濁したが、その二人の女の子が中山か近藤の子どもではないかと、何となく思ったのだった。

カラオケの機械にはさまざまな機能があり、リモートコントロールのスイッチを操作するのがむずかしかったが、二人の女の子は何もしてくれなかった。わたしがリモートコントロールの扱い方がわからないと言ったときも、返事をしなかった。そのときもわたしは、その二人が中山か近藤の娘ではないかと思った。彼女たちには中山とか近藤と共通の印象があった。教育というものを受けた痕跡が皆無だった。カラオケルームが暖かいために、赤い髪の女の子はセーターのファスナーを開いている。彼女はセーターの下に、紫色のシャツか、あるいは下着だと思われるものを着けていた。そういう衣服は見たことがなかった。少なくともわたしの娘がそういう衣服を着けているところを見たことはない。ただ娘の下着姿など見たことがないから、その紫色のレースのような衣服がもし下着だったとしたら、娘がその下着を持っていてもわたしはそのことを知らないということになる。

そのレースの生地のような紫色の衣服には複雑な模様が織り込まれていた。有名な模様だがわたしは何という模様なのか知らない。曲線が渦を巻いて、その渦が鳥の羽に似た形を作っている。その羽のような形が二つ左右対称に並んで、全体としては、壁に絡まる蔦のように見えた。わたしがその模様を見ているのに気づくと、赤い髪の女の子は無表情のまま胸を揺するような仕草をした。きっとわたしが胸のふくらみを見ていると思ったのだろう。わたしは彼女の胸から目を逸らそうと思ったが、その紫のレース生地の複雑な模様に気持ちを奪われてしまっていた。その衣服は、彼女のからだにぴったりと貼り付いているために、胸のふくらみに沿った微妙な起伏があり、ただ一つ明らかなことは、わたしがこれまでの人生でそういったものを見たことがないということだった。視界に拡がったその複雑な模様がそのことをわたしに教えていた。わたしの視界にはその他に金色の髪の女の子の太腿があって、それは黒い革に包まれていた。天井にあるライトを反射して黒い革には光沢があった。わたしは彼女が本当は黒い肌の持ち主で、光沢に見えるのは実はその皮膚が剝《は》がれているためではないかという想像を持ったりした。カラオケの前奏の金管楽器の演奏が終わりかけていて、二人の女の子の声が一瞬聞こえた。あいつ、という言葉と、家、という言葉が聞こえたような気がした。二人はわたしの家族について話しているのだろうと思った。あいつにだって家族とかあるんだよ、きっとそういうことを話しているのだろう。中山は工場従業員の家族寮に住んでいて、よくわたしの家に遊びに来た。

わたしは十数年前に、東京と埼玉の境目に五十坪ほどの土地付分譲住宅を買った。息子が四歳で娘が生まれたばかりのころだ。一ヶ月に一度くらいの割合で、中山はわたしの家を訪れた。海釣りをやっていてよく釣り上げた魚を持ってきてくれた。中山は結婚が早かったので、彼の二人の子どもはわたしの子どもたちとよく遊んでくれた。酒に酔うと中山は、大学に行け、と自分の子どもに言った。大学に行くとこういう一戸建てに住める。おれのような中卒にはとても家は買えなかった。中山がそういったことを言うとき、わたしは気分がよかった。

家を買うことなんか大したことじゃない、いつもわたしはそう言って笑ってみせた。大事なのは家族がいつまでも仲良く生きていくことで持ち家だろうが、借家だろうが、アパートだろうが、大したことじゃない。わたしがそんなことを言うと、中山は、狭いアパートだと仲良く生きていくのはむずかしいんですよ、とわたしの目の前で涙を流したりした。中山の息子は公立高校に通っていたころ暴力事件に巻き込まれ同級生の頭をバットで殴って鑑別所に行き、結局高校は中退した。さまざまな職業を転々としたようだが、現在も定職には就いていない。中山の娘は商業高校を出て、わたしの紹介で小さな家電スーパーに就職し、職場結婚をしたがすぐに別れた。離婚の理由を中山は話さなかった。わたしはだまされていたんです。それは昔からの中山の口癖だった。

わたしはみんな一緒だと思っていたんです。わたしは2DKの家族寮に住んでいたわけですが、政治家とか大企業の社長とかは別にして、その他の国民には大した差はないと思っていたわけです。近藤の先輩の堀山の六畳のアパートにもテレビや電気冷蔵庫があったし、わたしの車はずっとカローラですが、周囲の、たとえば学卒の製品管理部長だって似たような国産のセダンに乗っていました。今だってわたしの息子は携帯を持ってます。国民が欲しがるものは、だいたい国民みんなが買えるものでした。わたしが住む家族寮は中央林間の新興住宅地にあって、わたしのような中卒者と高卒者、それに学卒者もみんな同じ町に住んでいました。要するに住まいでも持ちものでも、みんな一緒だと思えたわけです。それにわたしたちはみんな同じテレビ番組を見ていました。NHKの朝のテレビ小説とか日曜日の大河ドラマとかTBSの日曜劇場とか誰もが同じ番組を見ているのだと思っていましたし、実際に大半の人がそういったテレビ番組を見ていました。新聞や雑誌を見ても同じような気分になりました。国民はみんな一緒で、特別な暮らしをしている人などどこにもいないという気分です。

そういった中でわたしは近藤との付き合いを決して止めませんでした。二十年くらい前から近藤は池袋の近くのスナックでバーテンをしていて、よくわたしは飲みに行きました。近藤が働く店だけがわたしの行きつけの店でした。中央林間から池袋までわざわざわたしは飲みに出かけていったのです。近藤は二度結婚して、子どもを三人作っていました。そのうちの二人は行方不明になっていましたが、一人はヨーロッパに渡って何か美容師のような仕事をしているとのことでした。近藤はわたしに会うと、そのヨーロッパに行った息子の写真を必ず見せるようになって、そのこと以外では、わたしは近藤に優越感を感じることができました。中山は本当に幸せだ。近藤は水割りを作りながら、そういう風にいつもわたしに言いました。

おれはどうして集団就職を疑わなかったのだろう。フランスに行った息子からもそう言われたことがある。オヤジはだまされたんだ。考えてみると誰もやらないような仕事をおれたちはやらされていたわけで、紹介したのは中学校の教師だった。あの羽田の工場のことは今でもよく憶えていて、今でもたまに工場のあった辺りに行ってみることがあるんだよ。もちろんもう工場はないが、どぶ川はそのままだ。どぶ川の傍に佇んで、排煙が窓から流れ込んできたあの狭い工場を、どうしておれの中学校の教師が知っていたんだろうとよく考えた。どうしてもわからなかった。福島の田舎の中学校の教師が、どうして東京の羽田の、バラックと見分けがつかないような小さい工場のことを知っていたんだろうか。あの教師が羽田の町やどぶ川や工場のことを知っていたはずがない。他にも大勢の中学生が同じような工場に働きに来た。東北や九州からだ。玩具工場やマッチ工場、それに食堂やパン屋で働いていた。いったいどのくらいの数がいたんだろう。百万や二百万じゃきかないだろう。どぶ川のほとりに文化住宅というものがあって、例の堀山さんはそこに住んでいた。必死で働けば自分一人でアパートに住むことができる、と言われた。休日におれは堀山さんのアパートに遊びに行った。

堀山さんのアパートはおれの田舎の鶏小屋より狭かった。こんなところに住む人もいるんだと思ったが、そう思うと優越感を持つことができた。だがもちろんあのころはそういった優越感のために堀山さんのアパートに遊びに行くんだと気づかなかった。おれが遊びに行くと、堀山さんの奥さんは必ずサツマイモの天ぷらを作ってくれた。サツマイモを輪切りにして小麦粉を溶いた衣をつけて油で揚げてそれに胡麻がまぶしてあった。福島ではあまりサツマイモは食べなかったので、新鮮で本当においしかった。それでそのサツマイモの天ぷらを食べたくて休日になるとおれは堀山さんのアパートに行くんだろうとずっと思っていたがそれだけじゃなかったと、ある日もう三十になろうとしていたころだが、気づいた。おれは堀山さんに会うことで安心した。もっとひどい目にあっている人がいるということで安心した。

カラオケルームの床はリノリウムが貼ってあったがあちこちが破れて食べ物をこぼした汁で汚れていた。前奏の金管楽器の演奏が終わりギターの音色が聞こえている。その曲の最初の言葉は、太陽、ではなく、北風だった。わたしの喉が震え、き・た・か・ぜ、という言葉がメロディになって口から出ている。わたしにもその歌声が聞こえてきた。もちろんその声はこのカラオケルームの外に出ていくことがない。この部屋は厚いガラス窓のついたドアで仕切られていて他の部屋の歌声や話し声が聞こえてくることもない。赤い髪の女の子がウーロン茶を飲もうとしている。わたしには中山が必要だった。酒を飲んでわたしの前で涙を流す中山はわたしに救われているのだと、わたしの妻は言っていたがそれは違う。中山にわたしが救われていたのだ。駅のホームで見た五十過ぎの男にはそういう人間がいなかったのかも知れない。

き・た・か・ぜ、とわたしが歌うのが聞こえている。歌声がわたしの中で反響しているようだ。わたしの息子は五年前に高校を出たが、今は働いていないし学校にも行っていない。娘は美容の専門学校に行っていたが去年病気になって辞めた。娘は卒業したあと外国に行きたいと言ったが、わたしはそれを許さなかった。そのあとに娘は病気になったのだが、心療内科の医師はわたしの反対で娘が外国へ行けなくなったことと、発症は関係がないと言っている。だまされていた、と中山はいつもわたしに言った。わたしは仕事を探しているが、見つかりそうにない。家のローンはまだ六年残っている。貯金はこの半年でほぼ使い果たした。赤い髪の女の子がわたしを指差して何か言っているような気がする。確かに彼女の声を聞いているような気がする。駅のホームで見た五十過ぎの男は誰だったのだろう。先月から、わたしの妻はパートで働き始めた。一週間前、いい加減に就職しないと将来大変なことになるぞ、と息子に言って、おれのことよりてめえのことを考えたほうがいいんじゃないのか、と息子に言われた。

北風の次は、吹き抜く、という歌詞だった。赤い髪の女の子の紫色の衣服の起伏をわたしは見ているようだ。カラオケルームの視界は狭いので、自分が何を見つめているのかときどきわからなくなる。金色の髪の女の子が雑誌のグラビアを黒っぽい爪の先で示している。黒っぽい爪は肌色の指につながり、指は脱色された毛が生えた手の甲につながっていて、手の甲はその先のほうで、銀色の環がいくつか重なっている手首へとつながり、手首には銀色の環の他に、腕時計があるが、わたしの位置からだと文字盤が見えなかった。腕時計がはめられた手首は赤黒い染みのある肘のほうへと伸びて、その肘はブラウスで半分隠れている。駅のホームに立っていた男は電車へと飛び込んだだろうか。わたしが会社を辞めてから中山は家に来なくなった。わたしが断るようになったのだ。赤い髪の女の子がウーロン茶の入ったグラスの縁を上下の唇の隙間に差し込んでいる。グラスの表面が水滴でびっしりと被われている。水滴はグラスの側面を伝わって垂れていき、グラスの底の円い縁を滑って、まるでつぼみが膨らむように一箇所に集まる。

わたしは、ふ・き・ぬ・く、と歌い始めている。聞こえているのは間違いなくわたしの声だが、その歌声がわたしの視界でも響いているのかどうかわからない。二人の女の子はわたしのほうを見ていない。彼女たちにはわたしの歌声は届いていないのかも知れない。歌声はわたしの頭の中だけで響いているのかも知れない。これまでにもときどきそういう感覚に捉われることがあった。自分の視界から自分自身が遮断されているような感覚で、それは実は工場が閉鎖される以前からあった。わたしはそういう感覚とともに子どもや妻と接してきたし、そういう感覚とともに大学に通っていた。パートで働き始めた妻の帰りが遅くなることがあった。

わたしは妻に暴力を振るったことがない。中山によると、近藤という男は妻子に暴力を振るってばかりいたのだそうだ。妻の帰りがひどく遅かったある夜、わたしがトイレに起きると、中で誰かが嘔吐する音がした。トイレのドアの隙間から酸っぱい匂いが漏れてきて、嘔吐の声が妻だとわかったとき、わたしは彼女を殴りたくなった。だがそのときもわたしは妻を殴らなかったし、トイレを出てきた妻に、だいじょうぶか、と聞いた。飲み会があったんです、と妻は答えた。そしてそのあとわたしは何か言ったが、その声は誰にも届いていなかったと思う。妻が返事をしなかったからだ。確かにあのときわたしは何か言った。だがその声はわたしの中で遮断されていて、外に拡がっていかなかった。

次の歌詞をテレビの画面で見ることが恐くなった。吹き抜くの次は、寒い、という歌詞だった。わたしはその、さ・む・い、という歌詞を知っていた。さ、と発音するために口の形を整えようとしたが、それは不可能なことのように思えた。しかし、さ・む・い、という歌詞は確かに聞こえているようだ。自分が実際に歌っているのかどうかはっきりしない。二人の女の子はわたしを見ていない。二人が何をしているのかわからないが、わたしが歌うのを見ていないことだけは確かだ。わたしは本当にこのカラオケルームにいるのだろうか。わたしの目の前には金属製のアイスクリームのように見えるマイクがある。誰かの手がマイクを握りしめている。わたしは自分が駅のホームにいた五十過ぎの男ではないのかと思い始めた。わたしは駅のホームで別の顔のもう一人の自分と出会い、そのもう一人の自分と別れて、二人連れの女の子に食事を誘われた。わたしか、別のもう一人のわたしかはっきりしないが、その男はファミリーレストランでサンドイッチを食べていた。その男は、カラオケに行こうと二人の女の子を誘った。そして誰かが、三十年以上も前の吉永小百合とマヒナスターズのヒット曲を歌っている。

寒いの次は、朝も、という歌詞だった。あ・さ・も、という歌詞の形に口を歪めながら、わたしもだまされていた、とわたしは思った。わたしはずっとだまされていたのだ。わたしは大学へ行き、有名な家電メーカーの部品下請け会社に就職したが、そんなことには何の意味もなかった。そのことに何らかの意味があったとしたら、五十一歳になる妻がトイレで嘔吐したりしないだろう。赤い髪の女の子が持ったウーロン茶のグラスの底から水滴がテーブルに垂れようとしている。

# 披露宴会場にて

披露宴の会場はホテルではなく代官山のおしゃれなレストランだった。わたしが会場に着いたとき、テーブルはすでにほとんど埋まっていて、ウェイターやウェイトレスが食器を整えたり、司会の人がマイクのチェックをしたりしていた。わたしをテーブルまで案内してくれたのは新郎が勤める会社の人だった。会社は外資系の金融機関らしい。テーブルに着いてから周囲を見回した。知っている顔はいなかった。テーブルの上にわたしの名前を書いた細長い紙切れがある。須永怜子。一度結婚して姓が変わったが、二年経ってまた元に戻った。毛筆で書かれた自分の名前をしばらく眺め、そのあとにそのすぐ横に置かれた大小三本のナイフに目を移した。天井のシャンデリアが映っている。宮殿にあるような豪華で派手なものではなく、外国の田舎の屋敷に下がっているような、素朴な作りの鉄製のシャンデリアだった。

　晴れ着を着た三人の若い女がわたしの向かいに座っている。さっきからずっと大声で話し、笑い合っている。新婦の高校の同級生らしい。新婦は名前を平野香奈美といって、数年前わたしは彼女と同じ職場にいたが、披露宴に招待されるような間柄だったかどうかはっきりしない。そもそもどういう人を結婚披露宴に呼ぶのか、わたしは自分の結婚式のことを思い出しそうになり、気分が悪くなりそうだったので止めた。わたしの右隣に座っている中年の男が、どうも、と言って名刺を差し出した。平野が現在勤めている会社の上司らしい。名刺を見ると、聞いたことのない編集プロダクションだった。経済関係の雑誌を作っているんです、と中年の男は言った。ちょうど今名刺を切らしていまして申し訳ありません。わたしはそう言った。今日初めて自分の声を聞いた。平野からあなたのことをいつも聞いているんですよ。中年の男はからだを半身にしてわたしのほうを向き、話しかけてくる。黒の革のスーツを着て、白いシルクのシャツに、光沢のある紫色の細いタイを締めている。長い髪をべったりとなでつけて後ろで結び、ゴルフをやっているのか、あるいは日焼けサロンに通っているのか、顔も首筋も手の甲もまるでサーファーのように浅黒く陽に焼けていた。平野はこの男にどういうことを話したのだろうか。

前の職場で、優秀な先輩に仕事のやり方を教えてもらって、それがとても役に立っているんだって、平野はぼくにいつも言ってるんですよ。男はジャケットの内ポケットから葉巻を取り出して火をつけながら、そういうことを言った。葉巻を吸う男を間近に見たのは初めてだった。わたしと平野は輸入文房具の会社にいた。当時わたしは離婚したばかりで、三十歳になろうとしていて、確か平野は六歳年下だった。二年近く同じ職場にいたことになる。四年前ちょうど同じ時期に二人とも会社を辞めた。そのあとはほとんど連絡を取っていない。年賀状を出したり、たまにメールが来たり、そんな感じだった。今日の主賓を知っていますか、と男はわたしに聞いて、知らないと答えると、よくテレビに出る経済評論家の名前を得意そうに言った。そして、有名な経済評論家である彼が主賓になるのを承諾したのは自分のコネクションによるものだと付け加えた。

会場になっているレストランは三十坪ほどの広さで、細長いテーブルが三列に並んでいた。パーティの参加者は百二十人ほどだろう。店の奥に新郎新婦と立会人が座るテーブルがある。そのテーブルに近い席が上座になる。わたしの席は中央のテーブルの端のほうだった。何かお飲みになりますか。振り向くと、若いウェイターがいろいろな飲み物が載ったトレイを掲げて立っていた。ビールとウーロン茶とワイン、それにオレンジジュースがあった。クラブソーダがあったら飲みたいとわたしは彼に言った。ただ今お持ちしますので少しお待ちください。その若いウェイターの声がわたしの中で引っかかった。暗闇で顔に手に絡まる蜘蛛の糸のように、その若い男の声がからだのあちこちに引っかかって残った。

大勢の見知らぬ人とその話し声に囲まれて、記憶が溶け出しそうになる。披露宴に来たことを後悔した。部屋の外に出るべきではなかったのかも知れない。不思議なことに、一人で部屋にいるとき、記憶はわたしのからだの中でじっとしている。人のからだからはエネルギーの波のようなものが出ていると言った人がいた。その波のようなものが他人の記憶を揺すぶったり震わせたりするのだそうだ。このままここを出て行ったほうがいいのだろうか。だが、さっき歩いてきたが、このレストランの外も似たようなものだった。ブティックやカフェに大勢の人が群がっていて、その間を歩いていると心がざわざわして落ち着かない気分になった。

あの若いウェイターがクラブソーダを運んでくると、わたしはヒロキのことを思い出してしまうかも知れない。人の声や気配や匂いは、閉じこめていた記憶に干渉するらしい。どうかしましたか。わたしの左横に座っていた男がそう声をかけてきた。おせっかいかも知れませんが、ご気分がすぐれないならそうおっしゃってください。男は、カシミアだと思われる黒のスーツを着て、変わった襟の形のシャツに蝶ネクタイをしていた。足下に置いたブリーフケースを取り、中から透明なビニールの書類入れを出してわたしに示した。書類入れには、色とりどりの薬がきちんと整理されてびっしりと詰まっていた。からだが弱いもので、こうやって薬を持ち歩かないと不安なんです。ここにあるのは心臓と肝臓の薬が主ですが、他にもだいたいの病気の薬はたいていそろっています。精神安定剤も強いのからごく弱いのまで四種類ありますから、もし必要でしたらおっしゃってください。

ありがとうございますとわたしはお礼を言った。いえいえ、どういたしまして、お入り用のときはいつでもおっしゃってくださいね、そう言って、男はブルーのカプセルを一錠取り出して飲んでから、ブリーフケースの中に薬が入った書類入れをしまい、足下に戻した。四十代後半で、短い髪をして、穏やかな話し方だった。わかる人が見れば、わたしの精神が不安定なのがすぐにわかるのだろうか。二ヶ月ほど前から、おそらくヒロキとのことが原因で、何の前触れもなく突然呼吸が苦しくなり、動悸《どうき》が速くなるという、それまで体験したことのないことを何回か繰り返すようになった。自分の部屋の中とか、人混みの中とか、電車の中とか、駅の階段とか、いろいろな場所で同じことが起こった。いくつか複数の病院で調べてもらったが、からだに異常は見られず、疲労から来る自律神経失調だろうと言われた。うつ病の前兆だと言う医者もいたが、軽い安定剤や睡眠薬で不安が消えるので、抗うつ剤は処方されなかった。

左横の男は、わたしが常に安定剤をバッグに忍ばせているのがわかったのだろうか。失礼ですが、とわたしはその男に話しかけ、ある安定剤の名前を言った。三ヶ月ほど前からときどき呼吸が苦しくなる感じがあって、その安定剤ですが、手放せなくなったんです。男は、わたしの話をうなずきながら聞いていた。そういうことって見る人が見ればわかるものなんでしょうか。そう聞くと、ぼくはもっと単純に考えただけです、と男は微笑んだ。照れたような、安心感を覚える微笑みだった。ちょっと変かも知れませんが、ぼくがこういう場所が苦手なんで、他の人もきっと苦手なんじゃないかと思っただけです。楽しそうに話している人はいいんですが、一人で来ていて、誰も話し相手がいない人はきっとぼくと同じように落ち着かない気分なんじゃないかと、単にそう思っただけですよ。

いつも自分で不思議なんですが、どうしてこういう場所を苦手だと思ってしまうんでしょうか。わたしはそう聞いた。男の話を聞いていると少し気分が落ち着いた。ぼくの場合は、披露宴とかパーティとかに限らないんです。うまく言えないんですが、不特定多数の人が何人かいるだけでも苦手なんです。こうやって一対一で話すのはわりあいにだいじょうぶなんですけどね。だからぼくは、こういう場所に一人でいて誰とも話さないでいる人を見ると、自分と同じじゃないかと思ってしまうんです。おせっかいきわまりないですけどね。男が話している間に、若いウェイターがわたしの飲みものを持ってきた。クラブソーダをご用意していないのでサンペルグリーノでもよろしかったでしょうか。うなずいて、わたしはよく冷えたグラスを手に取った。グラスの底から細かな泡が立ち上がっている。泡を見つめてはいけないと思った。以前、沸騰する鍋の水をじっと眺めていて記憶が溶け出してきたことがある。

ある男がわたしに言ったことをふいに思い出した。その男は映画のシナリオを書いていて、わたしが勤めていた六本木のクラブの常連の一人だった。その男とよく一緒に映画を見に行って、そのあとに食事した。その男は映画のストーリーを予測することができた。『ジュラシック・パークⅢ』という映画で、準主役の若い博物学者が空を飛ぶ恐竜に襲われ、わたしはその博物学者が死んだと思ったのだが、その男は、彼は生きていて映画の最後で再登場するよ、と言った。本当に映画の最後で、若い博物学者が重傷を負った姿で再登場したので、映画のあとの食事のときに、どうしてわかったのかと聞いた。簡単だよ。あの若い博物学者がはっきり死んだと示すシーンがなかったし、プテラノドンに襲われるシーンまでに彼が実はいい人だと観客に刷り込むようなシナリオになっていた。つまり観客がこの人物は死なせたくないと思うようなキャラクターになっていた。でも観客をドキドキさせないといけないから、死んだのかも知れないと思わせるような展開になって、重傷を負って、でも生きている彼が最後に現れて、観客はカタルシスを得る。そういうのはシナリオを作るときの基礎で、だからあの若い博物学者は死んではいけないんだよ。もし殺すつもりなら、もっと違った描き方をしないといけない。

いつもワインを飲みながら、わたしはその男のそういった話を聞いた。その男は海外の映画の製作にも関わっているらしくて、ワインに詳しかったし、良い保存状態のすばらしいワインが置いてあるワインバーやレストランをよく知っていた。『ジュラシック・パークⅢ』という映画について話していたときに飲んだワインは、名前は忘れたが、非常に高価なものだった。香りをかいで、最初に口に含んだときに、あまりに官能的だったのでからだの奥が震えたのをよく覚えている。こんなワインは飲んだことがありません。わたしがそう言うと、それはそうだよ、とその男は笑った。ぼくはあなたの倍近く生きているし、それなりに収入もあるので、こういうワインを飲むし、一緒に飲む人を選ぶこともできる。でも、気をつけないといけないなと思うのは、こういうワインを飲むときに、これが人生で最上の瞬間だと思ってしまうことだ。このワインはボルドーのポメロールの中でももっとも貴重な一本で、他のワインと比べることはできないし、それだけじゃなくて、他のどんなものとも比べられない。音楽とも比較できないし、ぼくが最高の映画の一つだと信じているような映画とも比べられない。もちろんセックスやオルガスムとも比較できない。

問題なのは、いや問題というか、興味深いのは、以前は誰もこういうワインを必要としていなかったということだ。ぼくが小さかったころ、ぼくの田舎ではこういうワインが世の中に存在することさえ誰も知らなかった。もちろん日本全体が貧しくて、外貨もなかったから、こういうワインを輸入できなかったわけだけど、必要としなかったんだ。気の合った人たちと一緒に飲めるんだったら、別にこういうすごいワインは要らない。防腐剤の入った日本酒でも、味のない焼酎でも充分に楽しめる。そういった社会の残骸はまだ居酒屋などに残っているけど、そういうのもいずれ消えていくだろう。一九七〇年代のどこかの時点で、何かがこの社会から消えたんだ。それは、国民全体が共有できる悲しみだと言う人もいるが、それが何なのかはそれほど大きな問題じゃない。大切なのは、このワインと同じくらい価値のあるものをこの社会が示していないし、示そうとしていないということだ。だからこういうワインを飲むことができる人や、飲む機会がある人はそれに代わるものがないことに自然と気づいてしまい、こういうワインを飲む、このときが、まさに人生の決定的な瞬間なんだと思ってしまう。それは無理がないことだし、しょうがないことで、そういう意識の流れに抵抗はできない。このワインを飲む瞬間が人生で最上の瞬間だというのは一つの真実だから、抵抗のしようがないんだ。こんなワインを飲む瞬間と比べられるようなものは、この社会の中にはないからね。今、こういうワインを飲むことができる人は他人からうらやましがられる。ほとんどの人は、つまり普通の人は、一生こういうワインは飲めない。普通の人は、一生、普通の人生というカテゴリーに閉じこめられて生きなければならない。そして、普通という人生のカテゴリーにはまったく魅力がないということをほとんどの人が知ってしまった。そのせいで、これから多くの悲劇が起こると思うな。

わたしの向かいに座っている三人の女たちは、このレストランがいかに有名か、またこのレストランと同じ程度に有名なレストランや料理屋をどのくらい知っているかについて話している。ディナーだったら二ヶ月前でもこのレストランは予約ができないらしい。わたしの右隣の黒い革のスーツを着た男が、そんなことはありませんよ、と三人に声をかけた。自分は当日でもこのレストランを予約したことがある、と黒い革のスーツの男は言った。陽に焼けた男の右手首には金のブレスレットが揺れている。その男の真向かいに座っている女がそのブレスレットに気づき、左手首にどういう時計をはめているかを確かめようとした。黒い革のスーツを着た男が吐き出す葉巻の煙が天井の鉄製のシャンデリアのほうに漂っていく。このレストランの料理はイタリアンがベースだけど、内装のデザインはスペイン風なんですよ。黒い革のスーツを着た男が、わたしの真向かいに座った女を見ながらそう言う。三人の中で、髪に和紙で作った飾り物を差しているその女が比較的整った顔をしている。その右の、黒い革のスーツの男の真向かいに座った女は笑うと歯茎がむき出しになるし、カシミアのスーツを着て大量の薬を持っている男の真向かいに座っている女は腫れぼったいまぶたで、肌も汚く、鼻の脇に紫色をした大きなイボのようなものがあった。あのドアからですね、小さなパティオに出られるのを知ってますか。黒い革のスーツの男がそう聞いて、知らないです、と和紙で作った飾り物を髪に差している女が答えた。

パティオにはちゃんと噴水もあるんですけど、誰でも入れるわけじゃなくて、そうですね、外国の要人が来たときとか、ここのシェフやオーナーの友人だけが入れるみたいですよ。すごーい、と鼻の脇にイボのようなものがある女が大げさな声を上げたが、黒い革のスーツを着た男は無視した。笑うと歯がむき出しになる女は男の腕時計のブランドを確かめたようだ。全体が金色に見えて、文字盤が黒で、周囲に宝石が並んでいるような腕時計だった。男は自分の時計を見られていることに気づいたらしい。金色の腕時計がさらに露わになるようにジャケットとシャツの袖をめくった。この男は、とわたしは思った。この男は、普通というカテゴリーに属していないことを示そうとしている。黒い革のスーツも、べったりとなでつけて後ろで結んだ髪も、日焼けもブレスレットも腕時計もそのための印であり、小道具だ。同級生ですよね。黒い革のスーツの男は、まるで最初から存在していなかったかのように他の二人を無視して、和紙の髪飾りの女にそう聞いた。笑うと歯がむき出しになる女は無視されたことに気づいたのだろう、一瞬顔をこわばらせた。

笑うと歯がむき出しになる女の右側に濃い化粧の中年の女が座っている。わたしより十歳ほど年上で、四十代の後半ではないだろうか。灰色のベルベットのノースリーブのドレス、同じ色と素材の長い手袋。ドレスの胸元が大きくあいていて、シミとそばかすのある肌が見える。女の肌は、ペンキを塗られるのを待っている泥の壁のようだった。その女の右側に草食の小動物を思わせる男がいた。テーブルに両手をついて携帯の画面を眺めながら、男はときどき天井を見上げてため息をついた。その男の向かいに座っている男が、同じように携帯の画面を見ながら、下がったな、と言って、お互いにうなずき合った。二人は投資情報のようなものを見ているようだ。小動物のような男の右側に、やはり同じように小動物を思わせる男がいた。遠景だとひとかたまりになって見えるから、その男の右側に座っている男も小動物に似ていた。黒い礼服を着た何千何万という男たちがひとかたまりになって次々に崖から飛び降りるところをわたしは想像した。これから多くの悲劇が起こるだろうな。映画のシナリオを書く男がそう言ったとき、じゃあどうすればいいんですか、とわたしは聞いた。このワインと同じように力のある何かを探すしかない。あの男はそう答えた。

音楽がそれまでのジャズから荘厳なクラシックに変わった。司会者がマイクのテストを終え、喋り始めようとしている。司会者の顔は田舎の道路に置いてある警官の人形にそっくりだった。やっと始まりますね。わたしの左横にいる大量の薬を持つ男が独り言のように呟いた。始まってくれないと、終わりもないですからね。わたしはサンペルグリーノを飲む。よく冷えていてまだ泡は消えていない。グラスを目の前に掲げて泡を見つめる。わたしのからだのどこかに目に見えない裂け目ができて、そこから記憶が溶け出してくるのがわかる。記憶は映像だ。映画のシナリオを書いている男がそう言ったことがあった。窓にブラインドが下りてくるように、披露宴会場とは別の映像がわたしの視界に重なる。グラスの縁が唇に触れていて、泡が混じったサンペルグリーノが喉に滑り込んでくる。皮膚と喉から、心地よい冷気がわたしの内部に侵入してきた。すでにわたしはこの披露宴会場とは違う風景の映像を見ている。樹々の隙間から朝の光が差し込んでいる風景。わたしの息が白く、寒さがからだの輪郭を際だたせている。そこは街道に面した広い公園で、林の脇の遊歩道をわたしは歩いているのだ。

　わたしはうっすらと汗をかいている。早朝の公園には人の気配がなく、鳥の群れがシルエットになって遊歩道の敷石の上に浮かび上がる。足もとの草の表面を水滴が転がっている。遊歩道の向こう側には花壇とサイクリングコースに囲まれた草地が見える。この公園でヒロキに出会った。林を横切って、何かを両腕に抱いて、ヒロキはふいに遊歩道に姿を現した。あたりを見回し、わたしに気づくと驚いたような仕草をしたが、オートバイ用のヘルメットをかぶっているために表情はわからなかった。ヒロキはひざまずいて、両腕で抱えていたものをそっと地面に置いてから、ヘルメットを取った。逆光で、それが何なのかわたしにはわからない。ヒロキは手で遊歩道の脇の地面に穴を掘り始めたが、土が硬くてすぐにあきらめ、林に戻って何かスコップの代わりになるものを探した。わたしは近づいていって、木ぎれで穴を掘ろうとする青年と、その傍らの猫の死骸を見た。ヒロキが着ているジャンパーにはバイク便の会社名のロゴが入っていた。急ぐんじゃないの。そう声をかけたがヒロキは何も答えなかった。

あっちに新しくブランコとか滑り台とか作ってて、支柱を埋める穴が掘られているんだけど、そこに埋めたらどうかな。わたしがそう言うと、ブランコ？　とかすれた声を出してこちらを見た。額と頬が汗で濡れていた。わたしはヒロキを林の反対側に連れて行って、その工事現場を見せた。青いビニールで覆われた資材のすぐ横に、大人が二人入れるほどの深い穴が四つ掘ってあった。ここだったら、コンクリートが流し込まれるわけだから、野犬に掘り起こされることもないし、ブランコと滑り台がお墓みたいになって、いいんじゃないかな。ヒロキは黙ってわたしを見て、すぐに遊歩道のほうに走っていき、グニャグニャになっている猫の死骸を抱えて戻ってきた。わたしは落ちていたコンビニのビニール袋を拾った。わたしがビニール袋の口を開き、ヒロキがその中にそっと子猫の死骸を押し込んだ。

わたしたちはそうやって出会った。ヒロキはわたしより九歳年下で、バイク便のアルバイトをしながらレタリングを勉強していた。何度か食事するうちに、あるときヒロキがわたしの部屋に泊まってもいいかと言い出した。わたしのマンションはバイク便の営業所のすぐ近くにあって、自分のアパートで寝るよりも長く睡眠時間がとれるのだとヒロキは言った。ヒロキが泊まってもいいかと聞いたとき、甘くて強い酒を喉に流し込んだような、不思議な息苦しさを感じた。離婚して一人暮らしを始めてから、男を部屋に泊めるのは初めてだったし、映画のシナリオを書いている男はこの部屋には来ていない。いいよ。わたしはそう言った。部屋に泊まるのを許したわけだから、すべてを許すつもりだった。しかしその夜、鍋料理を食べたあと、ヒロキは、毛布と枕を借りてもいいかな、と言って、ソファで寝る準備を始め、シャツを脱がずにそのままソファで寝た。最初だから照れているのだろうと思った。でもその次に泊まりに来た夜も、その次も、ヒロキはずっとソファで寝た。ヒロキはわたしの下の弟よりさらに三歳年下で、二十六歳だった。九歳年下の男を自分からベッドに誘うのは気が引けた。わたしにも照れがあって、初めのころは何て純情な子なんだろうと思っていたが、週に一度か二度ほぼ定期的にヒロキが泊まりに来るようになって、別々に寝る夜を重苦しく感じるようになった。

いつかそのことをヒロキに言わなければいけないと思ったが、嫌われるのが怖くて言えなかった。三ヶ月前の、わたしの誕生日の夜、ヒロキが花束と手造りのプレゼントを持ってきてくれた。かすみ草の中にバラが三本混じっているだけの小さな花束と、CDケースに差し入れた自分で描いたレタリングの作品。それがヒロキのプレゼントだった。わたしたちは一本千二百円のシャンパンを飲んだ。食事のあとわたしは、「CRAZY for REY」と、きれいなゴチック文字で描かれた正方形の紙を見ていて、混乱してしまい、涙が出てきた。ヒロキはわたしのことをレイと呼んでいた。嫌われているわけでも、ただの宿泊所だと思われているわけでもなかった。そのことがとてもうれしかったが、だったらどうしていつもいつも別々に寝るのだろうと悲しくなった。気がつくと、わたしは今まで話していなかった自分のことを話し始めていた。静岡の田舎で銀行員と結婚して、それは厳しかった父親が決めた結婚で、すぐに破綻が来た。そのあとに東京に出てきていくつかの会社に勤めたが、社員ではなかったのでどんなにまじめに働いてもやがて解雇されてしまって、今は六本木のクラブで働いていて、今日で三十六歳になってしまって、あなたのことが好きでしょうがないけど、歳が離れているから、本当は好きになってはいけないのかも知れない。でもヒロキが泊まっていって、からだに触れもしないのはとても辛い。あなたは若いから性欲があるはずなのに、わたしに触れようともしないのは、ちょっとひどいよ。わたしは傷ついてるよ。

おれもレイが好きなんだけど。ヒロキはそう言った。でも、裸になれないわけがあるんだよ。いつかそのわけを言えるときが来るまで、もうここには来ないことにするよ。今はまだダメだけど、もう少ししたら言えると思うんだ。レイを抱きたくないわけじゃないよ。そういうことを言って、わたしの誕生日の夜、ヒロキは自分のアパートに帰った。ヒロキが帰ったあとの部屋はぞっとするほど虚ろで、洗い物をしていて何度も叫び出しそうになった。声を聞きたいと思ったが、シャンパンの酔いが覚め、自分が言ったことを思い出すと恥ずかしくなって電話ができなかった。いつも別れたあとは電話をくれたのに、ヒロキからの電話もなかった。そうやってわたしの三十六歳の誕生日は終わった。翌日の早朝、公園に行ってみたがヒロキの姿はなかった。六本木の店に行くのが苦痛になって、一週間無断欠勤を続け、もう来なくていいとママから告げられた。わずかな貯金があったのでそれで何とか暮らした。二週間経ち、一ヶ月が経っても、ヒロキからは連絡がなかった。店を辞めたらしいな。映画のシナリオを書いている男が心配して何度か電話をくれた。シナリオを書いている男は一日に二度電話をくれたこともあって、その二度目の電話のときに、わたしはヒロキのことを話した。

それでは芹沢友彦さんと平野香奈美さんの結婚披露パーティを始めさせていただきます。司会者の男がそう言って、場内が暗くなり、結婚行進曲が流れて、白いドレスを着た平野がレストランの入り口から姿を現した。みなさん、大きな拍手をお願いします。スポットライトが新郎新婦を白い円の中に浮き上がらせ、二人はゆっくりと歩き始めた。わたしの向かいに座っている晴れ着の三人がデジカメを構えて二人を撮ろうとする。平野って緊張すると鼻の頭に汗をかくんですよね。黒い革のスーツの男がわたしの耳に口を近づけて囁《ささや》くようにそう言った。立ち上がって拍手している人もいるが、わたしの左隣に座っている男は、やれやれ、とため息をついて早々に拍手を止めた。

そいつはたぶんからだのどこかに傷があるんだ。映画のシナリオを書いている男はそう言った。そしてそいつはその傷のことを秘密にしていてとても気にしている。誰にも見せたことがないんだと思う。だからお前のことが好きでお前のことを抱きたくても、裸になれなかったんだろう。誕生日の夜のことはいっさい何も言わないで、ただ、会いたいと、お前から電話をしたほうがいいな。傷のことなんか、お前のほうからは絶対に言っちゃダメだよ。もし彼が再び現れて、それでシャツを脱いで裸になったら、その傷のことを話し出すまではお前のほうから何も言わないほうがいい。そしてその傷について、お前が感じたことを正直に言うんだ。映画のシナリオを書いている男はそういうことを言った。みなさま、新郎新婦が着席いたします。もう一度盛大な拍手をお願いします。あちこちでカメラのフラッシュが焚《た》かれ、その光の中で平野がうれしそうに微笑んでいる。

ストロボの光が点滅する披露宴会場で、わたしはヒロキのからだの傷を想像し、次に、その傷にキスをしようとしている自分自身を想像した。

# クリスマス

わたしの前を歩いていたカップルが、壁に黒い文字でG、U、C、C、Iと描かれた店の中に吸い込まれていった。しばらく二人の姿を追うと、男のほうが壁際に置かれた小さなバッグを指さした。近寄ってきた店員がそのバッグを手に取り、男に寄り添うように立っている女に渡した。短い茶色の髪の女は、クリーム色の革のジャケットを着て、ポケットにぬいぐるみが縫いつけられたリュックを背負っている。男のほうは長髪でダッフルコートを着ていた。受験生のようなファッションだとわたしは思った。女はバッグを持ったまま、微笑んでいる。生きていくために三歳のころから微笑む練習をしてきました、というような微笑みだった。そのあとわたしはそのバッグが真っ白な紙で包まれ、箱に入れられて、金色のリボンで飾られるのをしばらく眺めた。金色のリボンは店の空調のかすかな風でゆらゆらと揺れた。わたしとそのリボンを厚いガラスが隔てていた。今夜はクリスマスイブだ。

わたしはまた通りを歩き始める。行く当てはない。ただ自分のアパートに戻るのもいやだったし、高井戸のパーティルームで友人たちが集まっているところに顔を出す気分にもなれなかった。わたしは今自分が何をしたいか知っている。あの男に会いたい。だがあの男は海外で仕事をしているらしい。らしい、というのはそれが事実かどうかわからないからだ。わたしは成田に見送りに行ったわけでもないし、あの男が泊まっているホテルに電話をして確かめたわけではない。仕事でヨーロッパに行く、二週間前にそう言われただけだ。

伊勢丹のショーウインドウに二十七歳のわたしが映っている。あの男が買ってくれた白いダウンコートを着て黒いブーツを履いている。髪が額にかかって顔がよく見えない。昔、鏡やショーウインドウに映った自分を見て不安になった。この女はいったい誰なんだろう、と呟くと、自分と、鏡やショーウインドウに映った女とが同一人物なのだということが曖昧になることがあった。そんなことは取るに足らないことで誰でもそういう風に感じるときがある、あの男はそう言った。わたしの顔は髪が額にかかってよく見えない。ショーウインドウのガラスの向こう側にはイルミネーションのトナカイがいる。トナカイとわたしは厚いガラスで隔てられている。わたしは再び歩き出し、二分ほど経って、バッグの中の携帯が鳴った。高井戸で集まっている友人の中の一人、斉藤からだった。今からでもいいから来いよ、と斉藤は言った。みんなお前がいないと寂しいって言ってるぞ。ごめんね、ちょっとね、電話を切ろうとすると、遅くなってもいいから電話をくれないかな、と斉藤は言った。そうだね、と曖昧な返事をして、わたしは電話を切った。

あの男のことは誰にも話していない。あの男が話すのを禁じたわけではない。あの男はわたしに何かを禁じたりしなかった。あの男は映画を撮っている。監督をすることもあるし、脚本を書くこともあるし、プロデュースすることもあった。わたしはあの男の作品を二本、見たことがあった。一本はあの男のデビュー作で、アルコール依存症の孤独できれいな女の物語で、もう一本は最新作だった。プロヴァンスとモロッコが舞台の、日本人の女とフランス人の男のラブストーリーだ。あの男と初めて出会ったころ、わたしは洋酒の輸入会社に勤めていた。わたしの会社はあの男の最新作に協力したのだった。映画の中で印象的に使われるシャンパンを提供し、プレミア試写会のスポンサーになった。わたしは会社で宣伝と広報の仕事をしていたが、からだを壊して休職したあとも、あの男との関係は続いた。

次の映画のアイデアを誰かに話してしまうと映画を作ろうとする決意が薄まってしまう、あの男がいつかわたしにそう言ったことがある。誰かに映画のアイデアを聞いてもらうだけで少し安定してしまうんだ。傾いたシーソーのように、自分自身が不安定でないと映画は作れない。映画製作は簡単じゃないから、この映画は実現できないかも知れないという不安感から少しでも自由になってしまうと、絶対にこの映画を撮るという決意が薄まってしまうんだ。あの男はわたしを抱いたあと、わたしの髪を撫《な》でながらそういうことを言った。わたしはそういうことを言うときのあの男が好きだったし、誰かに話すと決意が薄まるというのは正しいと思った。高井戸のパーティルームには会社の仲間が集まっていて、ワインやシャンパンを飲み、エスニック料理を食べているはずだ。彼らはほとんどわたしと同年代で、わたしに好意を寄せている斉藤もその中にいた。斉藤にはもちろんのこと、他の誰にもあの男のことは話していない。あの男が有名人で家庭を持っているから、ではなかった。あの男のことを仲間に話してしまうと何か大事なものがわたしの中で薄まってしまうような気がしたからだ。

新宿の路上は人であふれている。これから深夜にかけてもっと人が増えるだろう。ただ、一人で歩いているのはわたしくらいのもので、みんなカップルか、仲間や友人たちと一緒だ。しばらく立ち止まり、デパートの壁面を被っているイルミネーションを眺めていると、これ、どうぞ、と若い男がチラシをわたしの手に握らせた。イブの夜を寂しく過ごす女性に、とチラシには書かれてあって、女性、という漢字に、あなた、というルビが振ってあった。わたしたちはプロのホストなどではありません。全員一流企業に勤める紳士です。これまでの合コン形式には飽きてしまい、同じようにイブの夜を寂しく過ごすあなたのパートナーになりたいと思いました。風俗営業ではありませんので、わたしたちは都内某ホテルのバーであなたからの連絡をお待ち申し上げております。というような文面で、最後に携帯の電話番号が記してある。大勢の人がクリスマスイブの夜を一人で過ごしているのだとわたしは思った。デパートの壁面を被ったイルミネーションの小さな一粒一粒が、わたしと彼らを象徴しているようだった。

映画のプロモーションで一緒にパリに行ったとき、いつかモロッコに行こう、とあの男は言った。去年の十一月で、初冬のパリは空が曇っていて厚いコートが必要なくらい寒かった。わたしたちはルーブルのそばの古いホテルに泊まり、生牡蠣やフォアグラやベトナム料理を食べ、美術館を巡り、何度も何度もセックスした。一週間、ずっとあの男と一緒でいろいろな話を聞いた。リュー・ド・バックにあるベトナム料理屋では千ドル近い値段のポメロールのワイン、ペトリュスを飲んだ。この年代のこのワインはこの店にしかないんだ、あの男はそう言いながらワイングラスをテーブルの上で回した。わたしはそんなワインを飲んだことがなかった。そのワインは香りも味もなめらかで、スムーズに喉を滑り落ちていくのだが、他の匂いや味と比べることができなかった。ワインを飲み込むたびに、今のは何だったのだろうと思ってしまう。味や香りを自分で特定して確かめることができなかった。

そのワインは、それまでわたしが飲んだワインと比べて酔い方も違った。いくら飲んでも神経が鈍くならなかった。酔っているという感覚はあるのだが、頭がふらついたり手先がしびれたり饒舌になることがなかった。そういうワインを飲みながら、あの男がわたしだけに語りかけてくる声を聞き、からだの中で溶けていくようにあの男の言葉の意味を理解していく、そういう体験は初めてだった。

その女が休暇でよく友人たちとフランスやイタリアの田舎のオーベルジュへ行くんだと言ったとき、おれはその女は寂しい人だと思った。正確に言うと、寂しい人だと思ったわけじゃなくて、その女が発していた寂しさの波みたいなものを受信したということかな。もちろんその女は実際には寂しい人じゃないかも知れない。おれは単にミーティングで会っただけでその人のプライベートなことは何一つ知らないからな。だが恐ろしいことにそういうときのおれの直感は外れたことがないんだ。人の、甘えと依存と寂しさに関してはおれはほとんど間違うことがないんだ。おれたちはおいしいものを食べるために生きているわけじゃないし、おいしいものを食べたからといって人生が容易になるわけでもない。重要なのは何を食べるかじゃなくて、誰と食べるかだ。おいしいものを食べるよりも、誰と知り合うかというほうが重要なんだ。オーベルジュ巡りは、もう誰とも知り合う必要のない老人がやるものだ。初めて会ったときから今まで、お前からはそういう寂しさを感じたことはない。

ワインと一緒にあの男の言葉がからだの中に入って来るのを感じた。シャトー・ペトリュスが内臓に染み入って独特の刺激を与えるように、あの男の言葉はわたしの心に溶け込んできた。説明を受けているわけでもなく、説得されているわけでもない。言葉で犯されているわけでもないし、世間話を聞いたわけでもなかった。そうやってあの男の言葉を聞きながら、そのあと部屋のベッドで過ごす時間をイメージした。

クリスマスイブの新宿の夜、こうやって一人で歩いているときに、パリで過ごしたその時間のことをどう考えればいいのだろうか。いつかモロッコへ行こう、とあの男は言った。一緒にベルベル人の集落に行けばどうしておれがモロッコで映画を撮りたかったかわかってもらえると思うんだ。モロッコがどういうところなのか想像もできない。たぶんあの男はわたしに距離について話そうとしたのだと思う。わたしたちはパリまで行った。そしていつかモロッコに行くだろう。こうやってイブの夜の新宿を歩いていても、軽く目を閉じれば、わたしは初冬のパリの街路を思い浮かべることができる。白い息を吐きながら、腕を組んで、灰色の敷石を二人で歩いた。

デパートの横の路地で、中年の女の占い師がじっとわたしを見ている。占い師がわたしに手招きをする。ごめんなさい、とわたしは首を横に振った。占い師は唇を動かして何か伝えようとしているようだ。何ですか、近寄ってそう聞くと、幸福から逃げようとしてはいけませんよ、と占い師は言った。

パリは過去で、モロッコは未来だ。去年の十一月、パリでわたしは確かに生きていたが、モロッコでも同じように生の実感を得ることができるとは限らない。モロッコの砂漠を見る前にあの男と別れるかも知れない。いつか一緒にモロッコに行こう、あの男はそう言ってわたしに希望と距離を示した。わたしはモロッコの砂漠から遠く離れた場所で人混みの中を歩いている。

「あなたはお一人ですか」

もらったチラシに書いてあった番号に電話してみた。植物的な男の声が聞こえてきた。声からは歳はわからなかった。一人ですか、と聞かれて、そうです、と答えると、副都心にあるホテルのバーまで来れますか、と言われた。靖国通りまで出てわたしはタクシーを拾った。

「今タクシーを拾って乗ったところです」

そう言うと、タクシーの運転手がバックミラーでわたしを見た。わたしは運転手に副都心にあるホテルの名前を言った。タクシーの中は暖かく、群れをなして歩く人々とはガラスで隔てられていて気分が少し落ち着いた。外は寒いですか。タクシーの運転手が聞く。無視することにした。運転手は怒り出すだろうか。タクシーの窓から眺めると通りを歩く人々の顔がみな同じに見える。ガードの下が渋滞していて、運転手が苛立《いらだ》ち何度もクラクションを鳴らした。ネオンサインやイルミネーションの明かりが車の中に差し込んできて、運転手の顔や首筋にさまざまな色の模様ができた。わたしも窓のそばに手を掲げて、自分の手のひらに映る赤や黄色のイルミネーションの点滅を確かめた。彼方に十数本の超高層ビルが見える。窓明かりでメリークリスマスと描いたビルもあった。

ホテルのエントランスにはサンタクロースやトナカイをかたどった石膏の像が並べられていた。数台のタクシーが同時に止まり、着飾ったカップルの客がドアマンに案内されて回転ドアから中に入っていく。ロビーは照明が落ちていた。歌声が聞こえてきて、ちょうどクリスマスソングの合唱が始まるところですよ、と背の高いドアマンが教えてくれた。黒いタキシードと白いロングドレスを着た男女それぞれ七人ずつのコーラスがクリスマスの歌を合唱した。合唱隊は炎が揺れる燭台を手に持っている。ろうそくの炎が大理石の床に揺らめいた。

その男はバーの入り口に立ってわたしを待っていて、さっきの電話の人ですよね、とわたしに確かめた。人気のあるバーらしくて、カウンターもテーブルも空いている席はなかった。男は奥まったテーブル席に座ると、酒井だと名乗って、信用してもらわないと始まらないから、と名刺と社員証をわたしに差し出した。その席には他に四人の男がいて、女が二人その間に座っていた。つまり五人の男があのチラシを作り、わたしも含めて三人の女が誘いに応じてきたのだった。

「何飲みますか。ぼくらはワインとシャンパンを飲んでますが」

酒井は三十四歳で中堅の広告代理店に勤めていた。他の四人は同じ会社というわけではなく、ワインに関するウェブサイトで知り合った仲間だということだった。わたしはみんなから名前を聞かれたが、すぐに帰るつもりだから名前はかんべんして欲しいと言った。すると酒井が、何て呼べばいいのかわからないからとりあえずの名前を付けてもいいかと聞いて、わたしが承諾すると、アキコという名前になった。

アキコさん。今ね、それぞれワインにまつわるエピソードを話していたところだったんですよ。一番左の端に座っている彼は、望月といってフリーのビデオアーティストらしいんだけど、今年の春に小学校の同級生だった女とばったり銀座で会って、その夜にオーパスワンを飲んだらしいんです。しかもその同級生の女というのが九州の田舎で屋台のラーメン屋の娘だったらしくて、中洲のラーメン屋の娘がオーパスワンを飲むっていうのは、何だかんだ言っても、日本はまだまだ豊かだって結論になったんですけどね。

望月の横に座っているショートヘアの女性は、朱美さんで、まだ三十代後半だけどご自分で小さな旅行会社を経営されてます。そうですよね、朱美さん。朱美さんは、五年ほど前にロスに行って、ビバリーヒルズのイタリアンで、ウォーレン・ビーティに、バロン・フィリップ・ロスチャイルドが作ったチリのワインを一杯おごってもらったんだそうです。その夜は、とても幸運なことに、ウォーレン・ビーティが連れていた女性の誕生日で、そのレストランにいた全員にそのワインが振る舞われたそうなんです。

朱美さんをはさむ形でえらそうに葉巻を吸っているのが、松永といって、音響機器の会社のエンジニアです。松永は三年前にフランスのシャモニーで四十代の旧東欧の女性に誘惑されて、雪の中に埋めたシャサーニュ・モンラッシュを飲んで、そのあと騎乗位で百分間セックスしたと言ってます。松永の向かいにいらっしゃる赤のワンピースを着た方が、園田恵理子さんです。有名なFM局のパーソナリティだっておっしゃってますが、ぼくら誰もその番組を知りませんでした。園田さんは去年までブラザーとお付き合いされてましたが、ご実家の強烈な反対で、しょうがなく別れられたそうです。ブラザーはルイジアナの出身だったらしくて、ニューオリンズでワニのフライと一緒に飲んだバンドールのロゼがこれまでのワイン人生の中でもっとも印象に残っているとおっしゃってました。

園田さんの左にいてデイブ・スペクターみたいなスーツを着ているのが野田です。野田はもうすぐ淘汰される政府系の金融機関に勤めていて、彼一人だけワインにはあまり縁がなくて、新潟の生まれなので越乃寒梅のエピソードを話しました。園田さんの右にいるのが吉野です。吉野は、薬品関係の仕事をしてるそうです。吉野が語ったワインは、トリノの見本市のときにわざわざ足を伸ばして飲みに行ったビオンディ・サンティでした。

酒井の説明を聞きながらシャンパンを飲んだ。酒井の長い説明の途中でまた斉藤から電話がかかってきたが、まだそっちには行けそうにない、と誘いを断った。周囲が騒がしかったからだろうか、いったいどこにいるんだよ、と斉藤から聞かれたが、わたしは答えなかった。園田と朱美という二人の女は共に三十代だった。朱美はスーツを着て、園田はワンピースを着ている。朱美は望月のことが気に入っているようだ。バーのあちこちからシャンパンとワインの栓が抜かれる音が聞こえてくる。失礼な話だと思われたら謝りますが、このホテルに部屋を取ってるんです、と酒井が耳打ちした。酒井の息が耳たぶにかかったが、それが心地いいのか、不快なのか自分でもよくわからなかった。あの男はヨーロッパにいて、三日前にメールをくれただけで、電話もかかってこない。園田は黒いストッキングの足を組んで男たちの視線を集め、どの男を今夜の相手に選ぼうかと考えているようだった。望月が朱美にキスをしようとして拒否された。まだよ、という朱美の声が聞こえた。クリスマスイブの夜の、まだ十時を回ったばかりだった。

欲望は伝染する。園田が松永を選んだらしい。アキコさん、そう四、五回言われて、酒井がわたしを呼んでいるのだと気づいた。アキコさんもワインの思い出を話してくださいよ。そうね、もうちょっと待ってね、わたしはそう言って、席を立った。お手洗いに行くふりをしてバーを出て、ホテルのロビーを眺める。クリスマスソングの合唱が終わったところだった。集まった男にタキシード姿が目立つ。ダークスーツの男も多くて、俯瞰《ふかん》するとこのロビーは蟻の巣に見えるのではないだろうか、そう思った。蟻の群れがイルミネーションを求めて移動している。わたしはあのバーの男たちにシャトー・ペトリュスの話をするだろうか。あの男たちの誰かと今夜セックスするのだろうか。いったい何が欲しくてあのチラシの誘いに乗ったのだろう。

高井戸では斉藤がわたしを待っている。わたしが待っている男は遠く離れたところにいて連絡も取れない。何してるんですか、と言って酒井が現れた。襟に狐の毛皮のついたコートを着た女がロビーを横切ってこちらに向かっている。携帯を持った酒井が、その女に手を振った。チラシを見た女がまたこのホテルのバーにやってきたのだ。酒井はわたしのすぐ横にいるが、顔が見えない。ロビーを横切ってこちらにやってくる女の顔もはっきりとはわからない。そう言えば、バーにいた男たちも、二人の女も、高井戸で待っている斉藤の顔も、わたしははっきり覚えていない。いったい誰が蟻の顔をいちいち判別できるだろうか。新しい女がわたしのそばをすり抜けてバーの中へ消えた。

# 駅前にて

　自動改札機に乗車券を差し入れて、それが中に吸い込まれていったときに音がしたような気がしたが、周囲の人のざわめきでよく聞こえなかった。音を確かめたかったが、後ろに大勢の人が続いていて、立ち止まれない。改札口を出たところはドームのような屋根のある通路で、左のほうにタクシー乗り場のほうに降りていく階段が、右にバス乗り場のあるロータリーがある。改札口のすぐ横にキヨスクがあって、その向かい側に中国の物産を売る小さな露店が出ていた。肉まんや甘栗、ライチや紹興酒が並べられた屋台から数メートル離れたあたりに、ゴミ箱と細長い円柱形の灰皿が置いてあり、バックパックを背負ったホームレスが割り箸のようなものを使って煙草の吸い殻を集めていた。

　その光景を見て、わたしはふいに足が止まった。後ろから歩いてきた人から背中を押された。わたしを追い抜いていきながらその人は、失礼、と謝った。ホームレスは登山に使うような帽子を被っていたが、最初それが帽子だと気づかなかった。髪の毛と見分けがつかないくらい汚れていたからだ。通路は混雑しているが、ホームレスの周囲だけがぽっかりと空いている。誰もがゴミ箱と灰皿を避けて通った。まるで真ん中に太い杭が埋め込まれた川を眺めているようだった。ホームレスはつなぎの作業着の上にトレーナーやセーターを何枚か重ねて着ていた。

中国の物産の露店にはそろいの赤いハッピを着た三人の店員がいて、ひっきりなしに何か大声を出す。客が近づいてきたら、いらっしゃいませ、と笑い、歩いている人たちに、お安くなっております、と商品を示し、東口のショッピングセンターでも同様の中国フェアを開催しておりますと言いながらチラシを配っている。だが彼らは絶対にホームレスを見ない。ホームレスを見ているのはこの通路の中でわたしだけかも知れない。オオサワと初めて一緒に食事をしたとき、ホームレスの話になった。わたしは自分がホームレスを見て足を止めたわけではなく、オオサワを思いだしてしまったのだと気づいた。

渋谷の道玄坂にある磁器の店で販売員の仕事を始めたばかりのころ、オオサワは店に入ってきて、展示棚を眺めたあと、すぐに有田焼の香炉を買った。つがいのオシドリが描かれた香炉で、非常に高価なものだった。香炉を包装しているときに、失礼ですが東京の人ですか、と聞かれた。九州の本社から販売員として東京に出てきているんです、とわたしは答えた。何度かうなずいたあと、ぼくも九州なんですよ、とオオサワは言った。そして展示棚から三河内焼きの醬油差しを手にとった。ほとんど球形に見える白磁の醬油差しで、腹の部分に赤い円があった。もう三十年以上前だけど、これとそっくりの醬油差しを家で母が使ってました。うちは金持ちじゃなかったから、本当はこんな高級品じゃなかったんだろうけど、でも、子どものころに使ってたものにそっくりだったんです。それで、買おうかなと思って、店に入ってみたんですが、どういうわけかずっと眺めてたら、欲しくなくなった。オオサワはそう言って、白磁の醬油差しを展示棚に戻した。わたしは、欲しくなくなった理由が知りたいと思った。

オオサワは音楽関係の仕事をしていて、同じ道玄坂にオフィスを持っていた。わたしが勤める店のすぐそばだった。その日オオサワに誘われて、わたしは仕事が終わってから一緒に食事をした。九州から東京に出てきて三週間くらい経っていたが、知らない男の食事の誘いに応じたのは初めてだった。九州にいたころもそんなことはなかった。結婚してからはもちろん、結婚前もそんなことはなかった。醤油差しが欲しくなくなった理由を聞きたかったのだと自分でそう考えた。

オオサワは四十代の後半だった。わたしより十三歳年上だが、ほとんど同じ年代のわたしの夫よりはるかに若く見えた。案内された台湾料理屋で向かい合って座ったときにそのことを言おうかと思ったが止めた。オオサワはなじみの客らしくて、わたしたちがテーブルに着くと、わざわざ店長が出てきて挨拶した。嫌いなものはありますか、とオオサワが聞いて、豚の角煮が苦手だとわたしは答えた。夫がまだ病気になる前、正月や祝い事がある日に義理の母は必ず豚の角煮を作った。夫は長崎で、わたしは佐賀の出身だった。豚の角煮を食べるのは初めてで抵抗があったが、わたしは食べなければならなかった。脂身が歯茎や喉にべっとりと貼りついて気持ちが悪かった。脂身の食感が不快で嫌いになったのか、食べなければならないという圧力のせいで嫌いになったのかはわからない。

食事だけど、断られると思ってたよ、と腸詰めを食べながらオオサワが言って、わたしはデートに応じた理由を話し、醤油差しが欲しくなくなったわけを聞いた。オオサワはしばらく隣のテーブルの若い団体客のほうを見て、やがて視線を戻し、懐かしい昔の日本のヒット曲を聞き続けたことある？　と聞いた。わたしは首を振った。あまり音楽に詳しくなかったし、昔のヒット曲と言われてもよくわからなかった。

ぼくは最初大手のレコード会社にいて、それから自分の会社を作ったんだけど、何て言うのかな、クラシックも好きだけど、それよりポップスというか、大衆に支えられている音楽が好きなんだよ。一人っ子だったから、両親が好きな歌謡曲とか演歌とか、小さいころからよく聞いた。一人っ子って、両親が好きなものは好きになろうと努力するからね。だから昭和初期の歌とか、戦争中の歌とか、戦後すぐの歌謡曲とか、バカみたいにぼくはよく知ってる。オヤジは製材所をやってて、酔うと、必ず軍歌とか、歌謡曲を歌った。

そうやって歌ってるときのオヤジは楽しそうだったから、そういうときのオヤジが好きだった。そうやってオヤジが歌うときの、家の雰囲気っていうのかな、それも好きだった。だから、今でもたまにそのころ流行っていた歌謡曲とか、演歌とか、あとオヤジが歌っていた軍歌とか、聞くことがあるんだけどね。懐かしいなって思うのは最初の一曲目の、それも途中までで、五、六曲続けて聞いていると、どういうわけかわからないんだけど、憂うつで、憂うつで、死にたくなってくるんだ。あの醬油差しもそんな感じだった。最初懐かしくて、しかし、ずっと見てたら、どういうわけか気分が沈んできたんだよ。

改札口から、次々に人が吐き出されて来る。わたしはバス乗り場のあるロータリーのほうにゆっくりと歩いている。三月の午後の日差しが強く、眩しくて目を細めた。向こう側から来る人も、わたしを追い越していく人々もシルエットになって進んでいる。こんにちは。そう言いながら赤いハッピを着た若い女がわたしにチラシを渡した。駅前のデパート地下の食料品売り場で行われている中国フェアの案内で、干しアワビやツバメの巣や珍しい中国の野菜、それに老酒などが紹介されていた。ぜひお立ち寄りください。若い女は微笑んだ。チラシを渡す人みんなに同じように微笑んでいる。

露店のすぐ横で高校生らしい男の子たちが数人集まって肉まんを食べていて、彼らはときどきゴミ箱のほうに視線を向けた。ホームレスは足が不自由なようだ。通路の窓から陽が差し込んでいて、ゴミ箱から少し離れたコンクリートの床に光の長方形ができていた。一度ホームレスは吸い殻を集める作業を中断し、その日差しのほうへ移動して暖をとった。ホームレスは両足を引きずるように歩いた。まるで両足を鎖でつながれているような歩き方だった。スニーカーの踵の部分を潰して履いているが、両方の足首が大きく腫《は》れていた。肉まんを食べる高校生の一人が無表情でじっとホームレスを見ていた。日だまりで暖をとるホームレスは、腰に下げたビニール袋の中の吸い殻を一本取り出し、火をつけて吸い始めた。煙がよりくっきりと日差しを際立たせる。

台湾料理屋で、オオサワは生のニンニクのスライスと刻んだ白ネギを腸詰めと一緒に食べた。こうやって食べるとおいしいんだよ。勧められたが、明日になって店で匂ってはいけないからわたしは白ネギだけにした。わたしの夫は母親の手作りの豚の角煮を自慢していつもわたしに食べさせようとしたが、オオサワは、ニンニクと一緒に腸詰めを食べることを無理に勧めたりしなかった。わたしたちはイタリアの発泡酒を飲んだ。

佐賀や長崎だけど、どうなんだろう。やはりずっと景気が悪いのかな。呟くようにオオサワがそう言って、わたしはまた夫のことを思い出した。会社を辞めてから、夫はからだの調子をおかしくした。高校を卒業してからずっと地元の造船所の事務の仕事をしてきたが、一昨年のちょうど今ごろ希望退職に応じた。造船所はその半年後に閉鎖になった。新しい買い手も見つからなくてドックやクレーンは錆《さ》びつき、今では廃墟のようになってしまった。だから希望退職に応じたのは間違っていなかったのだが、夫は職探しをすぐにあきらめ、家でごろごろしているうちに、からだの不調を訴えるようになった。わたしは磁器の会社に勤めていたので、夫は母親と一緒にいろいろな病院を回ったが、これといった疾患は見つからず結局うつ病と診断されて薬を飲み始めた。

プライベートなことを避けながら、わたしは長崎の造船所の話をした。失業の話になって、次にオオサワはホームレスのことを聞いた。でも長崎にはホームレスとかはいないんじゃないのかな。いるのかも知れないけど見たことはない、とわたしは答えた。ホームレスの問題は失業というよりも家の問題だと思う。東京のホームレスは、独身者や離婚経験者が多くて、要は単身者ということだけど、でも、身寄りがまったくないという人ばかりじゃないんだよ。田舎に帰れば親戚がいるという人も多い。でも今は、田舎でも昔みたいに家が広くないし、昔みたいに大家族で住んでるわけじゃないから、たぶん田舎に戻れないんだよね。

ぼくは音楽出版の仕事をしているんだけど、いくつかバンドの著作権を管理していて、十年前くらいから、おもにカラオケのせいでね、信じられないような額のお金が入ってくるようになった。最初は、いろいろなものを買ったり旅行したりしてたけど、とても使い切れないし、どんなにおいしいものでも毎日は食べられない。ワインだって、誕生日でもないのに毎日ペトリュスやマルゴーを飲むわけにはいかないんだよ。服を買うの

も飽きたし、それで、何か社会的なことをやったほうがいいと、人に勧められたことも
あって、それまでにバカみたいに買った服をホームレスの救援組織に送ることにした。
最初はアフガニスタンとかイラクとか、海外の難民に送ろうと思ったんだけど、イス
ラムの人はチェルッティやヴェルサーチやアルマーニのスーツやシャツやネクタイなん
か着ないんじゃないかと思って。ホームレスは仕事を探して面接に行くときの服を持っ
てないし、路上で寒さで行き倒れになるとか、絶対的に衣服が不足しているから、とに
かく男物の衣類だったら何でもいいので送って欲しいというようなことがウェブに書い
てあったんだ。とにかく男物の衣類だったら、って書いてあった。そのとき、どうして
女のホームレスってあまりいないんだろうって思ったんだけど、興味のある問題だと思
わない？　なぜだと思う？

通路で肉まんを食べている男子高校生たちが、すぐそばで煙草を吸っているホームレ
スを今にも襲うのではないかと、わたしは胸騒ぎがした。こんなに人通りが多いところ
でそんなことが起こるわけがないと思うのだが、落ち着かない不穏な気分がしばらく続
いた。うつ病と診断された夫は家から一歩も出なくなった。夫の実家は長崎市内で駐車
場を経営していて、お金に余裕があり結婚してからも毎月いくらか振り込みがあった。

病気ということになってからはその額が増えた。ほとんど毎日のように母親が訪ねてきて世話を焼いた。仕事を探さなくてもいいから、友だちに会うとか、単に町をぶらつくとか、映画を見に行くとか、外出したほうがいいとわたしは思ったが、元気になるまでは家でゆっくり休まなくてはいけないと母親は反対した。夫は昼近くまで寝て、そのあとはずっとテレビを見たり漫画を見たりして過ごした。夫は煙草も吸わないしお酒もほとんど飲まなかった。競輪や競艇や麻雀もやらなかった。

足を引きずりながらホームレスがゴミ箱のほうに戻っていく。誰もホームレスを見ようとしないし、もちろん近づく人もいない。駅前のロータリーの奥には交番があるが警官がやって来ることもないし、駅員が何か注意することもない。小さな子どもの手を引いた母親はホームレスに気づくと歩く速度を速める。ゴミ箱のある場所に戻ったホームレスが、灰皿の上蓋を開けて中の吸い殻を手ですくい始めた。まだ吸えそうな吸い殻だけを左手に持ったビニール袋に入れる。細かな灰が舞い上がり、吸い殻が地面にこぼれた。何やってんだよ。高校生の一人が声を上げ、露店の店員がチラシの束で追い払うように灰を扇いでいる。夫が閉じこもってから、仕事を終えて家に帰るとき、家が近づくにつれて息が詰まるような感じになった。夫は、テレビのある居間に敷いたままの布団の中にいて、漫画を見ながらテレビをつけっぱなしにしていた。

ホームレスはコンクリートの床に座り込もうとしている。こぼれ落ちた吸い殻を拾おうとしているのだろうか。腰が悪いのか、腫れている足首のせいなのか、ひどく動作がのろい。磁器の会社の上司に夫のことを相談したら、ちょうど東京の直売店の販売員の仕事があるから、家を出たほうがいいと言われた。夫を見放してしまうような気がして決心がつかなかったが、家に閉じこもるようになって一年が経ったころから夫が急に暴力的になった。大声を上げたこともない大人しい人だったのに、料理を作りに来た母親を罵《ののし》ったり、ものを投げつけたりするようになった。母親は、わたしに仕事を辞めるように言った。夫がおかしくなったのはわたしが家にいないからだと思っているようだった。去年の夏、みそ汁の味が薄いと夫が怒りだし、病気のときは薄味のほうがいいのだと言う母親と口論になった。そして夫は熱いみそ汁の入ったお椀を母親とわたしに投げつけ、母親の髪をつかんで殴りつけた。血だらけになった義理の母親はわたしに文句を言った。あなたが家にいないで働きに出ているのでこの人はこんなになってしまった、そう言った。

台湾料理屋で飲んだイタリアの発泡酒は不思議な味がした。かすかな甘みと苦みが両方あって、フカヒレの野菜包みや豚の耳の辛い煮込みや春雨と高菜の炒め物などにもよく合った。この店にはよく来るんですか、と聞くと、週に三日は来ているよ、と店の人が厨房の奥から笑いながら答えた。少し頬を赤くしたオオサワが、ピンクフロイドって知ってる？　とわたしに聞いた。ロックのグループですよね。わたしはそう答えた。そのグループの名前だけは聞いたことがあった。オオサワは、そうロックグループだよ、と言ってうなずいた。

もう三十年以上前だな。ピンクフロイドが箱根でコンサートをしたことがある。そのころは野外で大勢の人を集めてロックコンサートをするのが流行ってた。ロックフェスティバルで、略してロックフェスって呼んでたんだけど、箱根の、芦ノ湖の近くで、箱根アフロディーテという変な名前のロックフェスがあって、海外や日本のいろんなグループや歌手が出演して、かなり大がかりなロックフェスで、それにピンクフロイドが出たんだ。ぼくはそのころ大学に行くのを止めて、悪い連中と遊んでてさ。みんなピンクフロイドが好きだったから、十人くらいかな、仲間みんなで箱根に行ったんだよ。そのころは、マリファナとかＬＳＤとか、ブームでね。ぼくはアメリカ軍の基地の街でそういうのを大量に買い込んで、仲間に分けたり、売ったりしてたんだけど、まあ、人生で最低の時期だったな。

　ヒッチハイクで芦ノ湖のそばまで行って、コンサートまで時間があったんで、会場を下見していた。広い丘にステージが作られて、みんな草の上に座ってステージを見るんだよ。今から考えると本当にのどかな感じだったな。そしたらね、会場の入り口のそばに、でっかいトレーラーが止まってて、髪の長い外人が二人、運転席に乗ってたんだ。ハーイって、ぼくは挨拶した。どこから来たの？　って聞くと、一人がロンドンからだと言った。遠くから来たんだねって言うと、まあね、と二人とも笑った。ぼくも、他の仲間たちも髪が異常に長くて、その二人は似たような雰囲気を感じたんだろうね。ピンクフロイドを見に来たの？　とぼくが聞いたら、ノー、という返事が返ってきた。じゃあ何しにこんな山の中まで来たんだろうと思っていると、トレーラーの後ろのほうを指差して、これがピンクフロイドだ、と言ったんだ。そして、トレーラーの中を見せてくれた。巨大なアンプやシンセサイザーや、その他にも見たこともないようなすごい機材がびっしりと詰まっていて、ぼくはびっくりした。

　二人はピンクフロイドのロードマネージャーだったわけだ。日本に来てから、探しまくっているんだけど、この国は何もないんだね、みたいなことを言って、ドラッグのことだと思ったから、ぼくは持っていたＬＳＤとハッシシをプレゼントした。そしたら二人はむちゃくちゃに喜んで、コンサートに招待するよ、って言ったんだよ。招待なんて本当かなと思ったけど、とりあえず二人とは別れて、芦ノ湖の近所で飯とか食って、コンサートが始まる時間に会場の入り口に行ってみた。

確か主催はニッポン放送で、そのロゴ入りのジャンパーを着た会場整理員がいっぱいいて、チケットを出せと言われたんだよ。当たり前だよね。フリーコンサートじゃないんだから。で、ぼくたちはチケットを持っていなかった。箱根の山の中でのロックフェスだから、どこからか入れると思って、チケットなんか買わなかったんだ。そのころは野外のコンサートだったら、日比谷の野音でもどこでも、チケットなしで勝手に入ってたからね。会場の整理員とはたいていなじみになってたし、チケットなんか買うのは体制の奴隷だ、みたいな感じだった。チケット持ってる真面目で気の弱そうなやつを脅してそいつのチケットで入ったこともある。本当に最低だった。

でも箱根アフロディーテの会場の入り口には、大学生らしいアルバイトの整理員がいて、そいつらにはコネも効かなかったし、出演バンドが二十以上という大きなロックフェスで、アルバイトの整理員の数もハンパじゃなかった。おれたちはピンクフロイドのロードマネージャーから招待されているはずなんだって、何度も言ったんだけど、聞いてくれるわけないよ。だってぼくたちはみんなすごい格好して、女の子はオッパイとか透けて見えるブラウスを着てたし、髪は腰まであったたし、まともな人間には見えなかった。するとそこへロードマネージャーの二人のうちの一人と、ギターのデビッド・ギルモアがやって来たんだ。そして、彼らはぼくらの友だちだから入れてやってくれ、と会場整理員たちに言った。会場整理員たちはびっくりしてた。ぼくもびっくりしたよ。だって本当に招待してくれるなんて思ってなかったからね。ぼくの仲間もみんな感動してたな。ピンクフロイドの演奏は夕方から始まって、霧が流れる中でアトム・ハート・マザーを聞きながら、ぼくたちは手持ちのドラッグを全部やって、完全にぶっ飛んでいた。

問題はコンサートのあとだった。霧の中にずっといたので、からだが冷えたんだろうな。仲間の女の子二人が高熱を出して、ひどく具合が悪くなったんだ。夏だったから、どこか適当な場所に野宿すればいいと思ってたんだけど、そういうわけにもいかなくなって、もう時間的に東京に戻る列車もバスもなかったし、山の中だから車もなくて、ヒッチハイクもできない。ドラッグの効き目が薄れてきて、みんなものすごく不愉快になっていて、深夜、あてもなく芦ノ湖のまわりを歩きながら、どうしようかと心細かった。

そのときに誰かが、湖のそばに建築中の別荘を見つけた。まだコンクリートが打ちつけられただけで、家具はもちろん、電気も水道も窓ガラスもなかったけど、屋根と壁はあった。あそこで寝ようとみんなが言いだした。

ぼくは本能的に、ヤバイと思った。芦ノ湖の湖畔の別荘は、基本的にみんな金持ちのもので、金持ちは警戒心が強いはずだ。ぼくたちはみんなべろべろにラリってたから、セックスとかしたあとに、裸で寝てしまうに決まっている。それで昼まで目が覚めなくて、そのうちにこの辺の別荘の持ち主が警察に電話をするだろう。そしたら、ドラッグの不法所持とか、公序良俗を乱したとかで、捕まってしまう。そんなに心配ならお前がどうにかしてこい、と仲間の一人が言って、ぼくは、左手でそいつの襟首をつかんで、足首にいつも隠していたハンティングナイフを右手で抜いて、そいつの目の前に持っていって、おれは今からここに泊まらせて欲しいとこの近くの別荘の持ち主に頼んでくるがそれはお前のためじゃなくて、おれ自身と、熱を出している女の子のためだ、わかったか、と言った。

十五分くらい歩いた。明かりがついている別荘を探して、その持ち主に、コンサートに来た者で、野宿をしようとしたんですが、病人が出て、夜露を避けるためにこの先の建築中の別荘に一晩だけ泊めていただくわけにはいかないでしょうか、と頼んだ。五十近くの、ちょうど今のぼくくらいの歳のおじさんだったけど、ぼくの髪と格好をじーっと見て、君は学生か、とぼくに聞いた。違います、とぼくが答えると、社会人だったら、ちゃんと泊まるところを確保してから遊びに来るもんだよ、と説教を始めた。なんでこんなやつに説教されないといけないのかと、情けなくて涙がにじんだよ。でもそのおじさんを殴ることはできなかった。殴ったら警察が来てそれで終わりだ。ここは山の中で東京じゃない。逃げるところもないし、病気の仲間もいる。何と言われても、頭を下げて頼み込むしかない。わかりました。今度から芦ノ湖に来るときはちゃんと泊まるところを確保してから来ます。社会人としての自覚も持つようにします。東京に戻ったら一所懸命働きます。風呂にも入ります。髪も切ります。

　ぼくはそのときのことを忘れたことはない。絶対に成功してやるぞと思った。簡単に億単位の金が入ってくるようになって、芦ノ湖の、あのおじさんの別荘の横に十倍でかい別荘を建てようかと思ったこともあるけど、でも芦ノ湖なんて別に好きじゃないし、別荘を建てるというのはどうでもよくなった。ところで、今ぼくが話したエピソードに、どうして女のホームレスが少ないかという回答が隠れているんだけど、わかる？　どうか泊めてくださいって、女のほうが、頼みやすいんだよ。泊まるところがなくて、しかも病気で身体の具合が悪かったら、泊めてくださいって、とりあえず誰かに頼むべきで、公園や路上に寝るのはバカだ。誰も泊めてくれないかも知れない。でも、最初から、誰も泊めてくれないと決めつけて、あきらめて、路上で凍死するのは間違ってるよ。

ホームレスはようやく通路のコンクリートの床に座り込んだ。あぐらをかくことができないようだ。両足を前に投げ出した格好で座っている。その姿勢をとることで負担がかかったのだろうか、腫れあがった足首が小刻みに震えていた。高校生たちは肉まんを食べ終わると改札口の向こう側に歩いていった。赤いハッピを着た露店の売り子が同じ微笑みと言葉を繰り返しながらチラシを配っている。今がチャンスです。フカヒレの姿煮のレトルトパックを三個お買いあげの方にはもれなく紹興酒を一本プレゼントいたします。あの人たちはフカヒレにイタリアの発泡酒が合うことを知らないかも知れない。初めてのデートのあと、オフィスが近いせいもあってオオサワはわたしが勤める店にひんぱんに顔を見せるようになった。店に来るたびに磁器を買ってくれるので、わたしの売り上げは上がった。何度か食事もしたし、一緒にお酒も飲んだ。出会ってから半年で、タクシーの中でキスはしたが、まだセックスはしていない。オオサワは八年前に離婚して、今はオフィスの近くに一人で住んでいた。

　わたしはまだ夫のことを話していない。だがいずれ話すだろう。先月、オオサワから旅行に誘われた。行き先はニューヨークとメキシコのリゾート地と、キューバだった。オオサワはキューバの音楽をプロデュースしていて、何枚もCDを出しているらしい。去年の十月にオオサワがプロデュースしたキューバのバンドのコンサートがあって、招待してくれた。キューバの音楽を聞くのはもちろん初めてで、東京に来てからコンサートに行くのも初めてだった。強烈なビートで、自分でも気づかないうちに、わたしはからだを動かしていた。どこかへ飛び出していきたくなるような音楽だった。

　わたしはバスの乗り場に向かって歩いている。通路を抜けて日差しの中に入るともうホームレスは見えなくなった。昨夜いつもの台湾料理屋で食事をしたとき、どうしてわたしを旅行に誘うのかオオサワに聞いた。わからないとオオサワは笑った。たぶん好きなんだろうな。この駅前からバスに乗って二十分くらいのところにわたしはアパートを借りている。今日は店の定休日だったが渋谷に出て、ちょっとした買い物をした。途中で本屋に寄って、カリブ海のガイドブックを立ち読みした。キューバのページは、きれいな海岸や葉巻やラム酒の写真があった。わたしはキューバに行くだろうか。キューバに行くか行かないかは別にして、お願いがあるんだけど。今度会ったときにオオサワにそう言ってみようと思う。

　夫が閉じこもっている家のすぐ近くに有名なテーマパークがあって、そこではよくいろいろなコンサートが行われている。そんなことが簡単にできるのかどうかわからないが、そのテーマパークでキューバのバンドのコンサートをやってもらえないだろうか。そういう風に頼んでみるつもりだ。そのときにわたしはオオサワに夫のことを話すだろう。そして、聞いて欲しい音楽があるとわたしは寝ている夫に向かって言うだろう。あの、からだ全体が気持ちよく揺すぶられる音楽を何とかして夫に聞かせたいと思った。だが、オオサワのことで夫に罪の意識を感じているわけではないし、夫に対し立ち直って欲しいなどと思っているわけでもない。

　どこにも出かけようとしない人間が嫌いなだけだ。

# 空港にて

サイトウに電話してみたが留守電になっていたのですぐに切った。スキー板を抱えたグループが入ってきてわたしの横を通り過ぎた。大きなガラスのドアが開いてまた閉まる。空港の中は明るいがガラスの自動ドアの向こう側はもっと明るく、スキー板を抱えたグループは最初シルエットだった。わたしの目の前に中年の男が週刊誌を広げて座っている。週刊誌の表紙は女優の顔だ。たまにテレビで見る顔だが名前を思い出せない。桜という字が苗字にある女優だった。わたしは航空券を持っていない。全日空のチェックインカウンターの前でサイトウと待ち合わせをしていた。サイトウが航空券を持ってくることになっているのだ。

週刊誌を持って向かいに座っている男はさっきから二度わたしを見た。三十代の後半だろう。クリーム色のトレンチコートを着て、その下は灰色のスーツだった。全日空のチェックインカウンターの前には向かい合った椅子がいくつか並んでいるからそのあたりに座って待っていてくれ。わたしが待っているサイトウという男は、二日前に電話でそう言った。サイトウと出会ったのは四ヶ月前だ。全日空のチェックインカウンターの前の椅子はすべて埋まっている。空港の中にいる人に比べて椅子の数はとても少ない。何人の人が今この空港の中にいるのかわからないが、チェックインを終えて慌ただしく出発ゲートに向かう人も多いし、それほど多くの椅子は必要ではないのかも知れないが、座りたい人に比べて椅子が足りないのは確かだ。誰かが席を立つのを待っている人が大勢いる。そういう人たちは座席が空くのを待っている素振りを示しているわけではない。だがわたしにはその人たちが座りたがっているのがわかる。椅子に座りたいという欲求の他にはその人たちから何も伝わってこないからだ。

週刊誌の男と視線が合ってしまった。男はわたしの目から肩に、そしてからだに沿って下りていって足先までを短い時間で眺めてから週刊誌に視線を戻した。わたしは黒のワンピースの上にベージュのウールのコートを着て、もうずいぶん昔に買ったブランドもののスカーフをしていた。バッグもブランドものだがそれほど高価ではない。熊本がどのくらい寒いのか、わからなくて、東京の冬と同じような格好で来た。昨夜、子どもを母に預ける前にニュースの天気予報で熊本の気温を知ろうと思ったが、子どもが少しぐずったせいもあって、天気予報の前にアパートを出ることになった。

斜め上に出発便の状況を示す大きな電光ボードがある。全日空645便、午前十一時二十五分発の熊本行きはもう搭乗が開始されているようだ。ボードにはその他に数え切れないほどの便が表示されている。午後三時十五分発の便まで表示があるが、次の熊本行きは十三時四十分だった。福岡や札幌は多くの便があるが熊本は少ない。わたしは時計を見た。熊本行きの搭乗手続きが締め切られるまで、あと何分あるだろうか。週刊誌を読んでいた男が福岡行きの搭乗案内のアナウンスを聞いて席を立った。男は席を立つ前にまたわたしを見た。わたしにはその種の女の目印のようなものが何か付いているのかも知れないと思った。

わたしは二年前に離婚して、四歳になる男の子がいる。夫の母親とは結婚当時からうまくいかなくて、結局それが直接の原因となり、別れることになった。夫は父親から譲り受けた機械部品の工場を経営していたが、わたしと離婚したあとに閉鎖した。おもな受注先が倒産したのだそうだ。夫は真面目で、優しい人だった。わたしに優しかったが、母親にはもっと優しかった。義母は背筋と肩を悪くしていて、整体や気功や鍼灸の他に怪しげな民間治療も受けていた。大変なお金がかかったし、本当は軽くからだを動かすことが必要だったのだが、義母はほとんど横になったきりで、さまざまな治療師が家に出入りしていた。

週刊誌を読んでいた男が席を立ったあとに、夫婦だと思われる初老の二人のうち男のほうが、わたしの向かいに座った。二人はいかにもこれから田舎に戻るというような身なりで、顔や腕が日焼けしている。男はしわの寄った白いワイシャツに赤のネクタイをして、袖が短すぎる焦げ茶色のスーツを着ていた。薄い髪を整髪料でべったりと後ろになでつけていて、大きなショルダーバッグを大事そうに抱えていた。女は小柄だったが背中が曲がっているのでその分余計小さく見えた。顔だけに不自然に白く化粧をして、白のブラウスの上に太い毛糸で編んだオレンジ色のカーディガンを着て、無表情だった。

その人について知らなくても、顔つきや化粧や服装や態度からいろいろなことがわかるものだ。都市に住んでいるのか、都市の近郊か、それとも飛行機に乗らなければたどり着けない田舎か、だいたいわかる。身につけているものからはその人の経済状態がわかる。顔色や姿勢から健康状態がわかることもあるし、年齢はだいたい一目で見当がつく。わたしは自分の手元を見た。左の手首にはカルティエの腕時計がある。風俗で働き始めてから、唯一自分のために買ったものだった。他人はこの腕時計を見て、この女は風俗で働いているとわかるのだろうか。

　離婚したあと、わたしは子どもを保育所に預けて近所のガソリンスタンドの事務のアルバイトをした。アケミちゃんという女の子と一緒にキャッシャーで働いたが、やがてわたしは解雇された。当時アケミちゃんは二十二歳で、わたしは三十歳だった。ガソリンスタンドは安値競争で利益が落ち続けていて、安く使える若い人を残したのだろう。離婚後しばらくは、夫が工場の社員寮として使っていたマンションの一室に住んでいたが、工場が閉鎖されるときにそこを出なければならなくなった。その部屋も債務の抵当に入っていたらしい。

　工場の閉鎖と同時に慰謝料も子どもの養育費も払われなくなった。夫は泣きながら謝った。夫を責める気持ちはなかった。わたしの実家は福島にあって、両親は戻ってくるように言ったが、実家には兄夫婦が住んでいて、一緒に住むのは無理だった。アパートを借りなければならなくなり、わたしはまず大崎のスナックで働いたがアルコールに強くなかったし、知らない人と話すのも苦手だったので、すぐに胃を悪くして辞めた。マンションを引き払わなければいけない日が近づいてきて、風呂とトイレがあって部屋が二間あるアパートに住むためには、夫が工面してくれた二十万円と貯金を合わせてもお金が足りなかった。一ヶ月で三十万近いお金を稼ぐことが必要だった。大崎のスナックで知り合った不動産鑑定士に相談すると、信頼できる風俗の店があると言われた。

アルバイト紹介誌に載っていたそのイメクラの店の紹介には、一日三万五千円保証、週一日でも可、お客様は当店が厳選した社会的に信用のある方ばかりです、というようなことが書いてあった。電話をしてから、五反田の西口の雑居ビルの中にある店に行った。店というか、ただのワンルームマンションの一室だったが、わたしは採用になり、写真を撮られ、ユイという名前で登録された。店にはいろいろなコスチュームがあり、その日のうちにわたしは最初の客につくことになった。

ここは煙草が吸えないんだな、という意味のことを向かいに座った初老の男が連れの女に言ったが、女は無表情のままで返事をしなかった。初老の男にはどこか西のほうの方言のアクセントがあった。ちょっとお前ここに座っていてくれ。男はそう言って、入れ替わりに女を座らせ、胸のポケットからマイルドセブンを取り出して喫煙コーナーのほうに歩いていった。わたしに向かい合って座った女は布製のハンドバッグからセロファンに包まれたお菓子を取り出して、両手で隠すようにして中身を出し、ゆっくりと口に運んで舌と歯でほぐすようにしてから、食べた。クッキーか、あるいはマロングラッセのようなお菓子で、女の手元から紺色のズボンの上にそのお菓子の屑がこぼれ落ち、女は口を動かしながらその屑を右手で払った。

わたしの視界は人で溢れている。移動する人々を一つのかたまりとして見ると、原始的な動物や回遊する魚の群れに似ていた。わたしはサイトウの携帯にすでに四回電話した。さっきサイトウに電話してからまだ二分も経っていなかった。来ないのだろうか。サイトウはわたしより六歳年下で、コンサルティング会社に勤めていた。最初に会ったのは四ヶ月前の金曜の夕方で、場所は目黒のラブホテルだった。わたしは三十二歳だったが、ユイという名前で登録された女は二十五歳だった。二十五歳でも十分に通用するよ、と店のオーナーは言った。これまでにぼくなんかもう二百人近い女性を見てきたわけだけどね、女性の歳なんか、普通の男にわかるわけないんだよ。

サイトウは最初のとき二時間わたしと遊んだ。最初にキスしたときに、わたしの頬を撫でて、ユイさんだっけ、きれいな顔してますね、と言った。その次は三日後にまた二時間、そしてその翌日に三時間と、店に通いつめるようになった。こういう客は気をつけないとダメだよ。わたしはオーナーにそう言われた。女性の側としてはうれしくなって店外デートとか本番とか許してしまうことがよくあるんだけど、ユイちゃんはだいじょうぶだよね。サイトウが二日か三日に一度店に通い出したころ、そう聞かれた。だいじょうぶですよ。わたしはそう答えた。店は本番を禁じていた。客は自分の手か、女の手か口で射精する。

五回目か六回目に会ったとき、サイトウは裸にならず、わたしを裸にすることもなく、わたしの頬を撫でながら、食事に行かないかと言った。ラブホテルを出て、わたしたちは品川駅の向かいにあるホテルの最上階のレストランに行った。おれがユイさんのことを好きなのがわかるかな。サイトウは冷たいジェリー状になったコンソメスープを飲みながらそう言った。二日とか三日おきに会いに来てくれるんだから、キライじゃないんだろうなって思うけど。わたしはカボチャのクリームスープを飲んでいた。そのきれいな黄色のスープの表面にはミントの葉が二枚浮かべられていた。でもサイトウさんはわたしの本当の名前を知らないでしょ。そう言うと、サイトウは悲しそうな表情をして、黙ったあとに、手を伸ばしてきて、わたしの頬を撫でた。あまりにも悲しそうだったので、わたしはこの男の前では二度とそういうことを言わないようにしようと思った。

ガラスの衝立《ついたて》で仕切られた喫煙コーナーで、初老の男は煙草に火をつけている。クッキーかマロングラッセのようなお菓子を食べている女は、連れ合いの男のほうを一切見なかった。男が置いていったショルダーバッグが女の足元にあるが、女はそのバッグを見ることもなかった。歯が悪いのだろうか、女はお菓子を食べるのに時間がかかった。口をモグモグといろいろな形に動かした。口を動かしながら、女はお菓子の包み紙のセロファンを広げ、まずていねいにしわを伸ばした。そしてそのあとで折りたたみ始めた。両足をきちんとそろえて座り、首をやや前に傾けて背筋を伸ばし、両手の指を使って正方形の紙を折りたたんでいく。折りたたんだセロファン紙の端がそろっていないのがわかったら、もう一度広げて再度端をそろえてから、また折りたたんだ。正方形のセロファンは四分の一の大きさになっている。

サイトウは、品川のホテルでの食事のあとも店に通って、わたしを指名して予約した。わたしたちはラブホテルで裸になることもあったし、ならないこともあった。サイトウはおもに自分の会社のこと、それに自分の考え方などを話し、わたしのプライバシーについてはまったく何も聞かなかった。本番を要求することもなかったし、店外デートを申し込むこともなかった。知り合って三ヶ月ほど経ったころ、いつものようにラブホテルで会ってから、恵比寿にある小さなカウンターだけの和食屋に行って、カワハギと寒ブリの刺身を食べ、清水焼の徳利とお猪口で、石川県の酒を熱燗で飲んだ。頬を少し赤くしたサイトウは、ユイさんといると疲れないんだ、と何度も言った。わたしはお猪口に二杯ほど日本酒を飲んだが、気分が悪くならなかった。日本酒で気がゆるんだのだろうか、わたしは自分のことを話した。離婚したこと、子どもがいること、それに日頃考えていることだ。サイトウはただ黙ってうなずきながら、話を聞き、別れるときにわたしの頬を撫でながらキスした。わたしは安心した。離婚や子どものことを知っても、今までと同じように優しく頬を撫でて、キスをしてくれたので安心した。

初老の女が折りたたむセロファン紙は十六分の一の大きさになった。全日空645便熊本行きはまもなく搭乗手続きを締め切らせていただきます。チケットをお持ちで、まだ搭乗手続きをお済ませではないお客様は十五番カウンターで、お急ぎ、搭乗手続きをお済ませください。そういうアナウンスが聞こえてきた。わたしは、ずっと入り口の自動ドアを見続けていたいくせに、ときどき不安になって向かいの初老の女に視線を移す。さっきからそれを繰り返している。当然のことだが、周囲にはわたしが知っている人もいないし、わたしのことを知っている人もいない。大勢の人の話し声、それにチャイムのあとに繰り返される出発便のアナウンスが混じり合って、ふいに現実感を失いそうになる。

サイトウがわたしのアパートを訪ねるのを許しておけばよかったのかなと思った。サイトウの提案を拒んだりせずに、子どもを紹介して、一緒にデパートや遊園地に行けばよかったのかも知れない。土曜日か日曜日、ユイさんのアパートを訪ねちゃだめだよね？　子どもに会ってみたいんだけど。恵比寿の和食屋で会って、わたしのプライバシーを聞いてから数日後に、サイトウはかなり控えめにそういうことを言った。わたしが返事ができずに黙って下を向いていると、すぐにじゃなくて、いずれということでいいんだよ、と微笑んだ。そのときわたしは恐くなった。この男はいつまでわたしに優しくしてくれるのだろうか。離婚を経験したからだろうか、わたしには、どんなによい関係でもいつかは終わるのだという確かな思いがあった。

わたしのような風俗の女にどうしてそんなに優しくしてくれるの。サイトウと知り合って一ヶ月ほど経ったころから、そういうことを聞きたかったが、聞いてはいけないような気がして、聞かなかった。他にも聞きたいことがたくさんあった。サイトウは週に二回から三回わたしに会いに来た。わたしに会うために、ホテル代も含めると一ヶ月に三十万から四十万近いお金を使っていることになる。そんなにお金を使ってだいじょうぶなのかと聞きたかったが、そのことも聞かなかった。相手が意志と好意でやっていることについて、どうしてそんなことをするのかと聞くのは甘えだ。あなたが好きだからやっているんだよ、と言って欲しいからそう聞くのだ。幼児と一緒にいるとそのことがよくわかる。

わたしは黒のブーツを履いている。向かいに座ってセロファンを折りたたんでいる初老の女が履いているのは赤い革製のスニーカーだ。六つの椅子が並んでいて微妙に大きさや格好の違う六ペアの足がわたしの目の前にある。どうしてあの映画のポスターのことを話してしまったのだろう。五日前のことだった。わたしたちは裸で抱き合っていた。サイトウさんがしたいことは何でもしていいからね。わたしから誘って、初めてセックスした。オーナーに言いつける？　とわたしが聞くと、サイトウは、そんなことチクっておれに何のメリットがあるんだ、と言って、いつものようにわたしの頬を撫でながら、笑い出した。ユイさんって本当に面白い人だな。

大人の男の楽しそうな笑い声を聞くのは久しぶりだった。離婚の前後、夫はいつも悲しそうな顔をして、声を出して笑ったことなどなかった。サイトウが笑うのを聞いてわたしは気分がよくなったのだと思う。変わった映画のポスターを見たことがあるんだけど。そういう風に話し始めた。新宿に買いものに行って、東口を歩いていたら、変な絵があるよって子どもが言って、それは映画館の入り口に貼ってあったポスターで、顔をベールで覆った中近東の女の人が大勢砂漠で並んで歩いていて、その背後に、パラシュートに乗った義足がいくつも空から降って来ていたの。ギソク？　とサイトウが聞いた。わたしは、義足、と言って、地雷とかで足を失くした人がつけるやつ、と付け加えた。わたしはどうして空からパラシュートで義足が降ってくるんだろうと不思議に思って、翌日一人でまた新宿に行って、その映画を見たんだけど、その映画はアフガニスタンを描いた映画で、地雷で足を失ったアフガニスタンの人に、国連が義足を送るんだけど、アフガニスタンのその地方には道がなくて、治安も悪いので、空からパラシュートをつけて義足を投下するしかないわけ。それで、その映画を見て、わたしは、地雷で足を失った人に義足を作ってあげることができたらいいだろうなって、そう思ったの。あまりにも唐突にそういう気持ちになったんで、自分でもびっくりしたんだけど。

　初老の女は、せっかく折りたたんだセロファン紙を無造作に床に転がした。小指の爪ほどの大きさの正方形になったセロファン紙は、女の左足の先の床に転がった。わたしの右隣に座っていた子ども連れの女が立ち上がり、入れ替わりに若い男女が座った。二人はおそろいの大きな水色のトランクをそれぞれ両脇に置いて、座るとすぐに上着のポケットから携帯を取り出した。空港内に再びチャイムが鳴り、アナウンスが繰り返される。全日空645便熊本行きはまもなく搭乗手続きを締め切らせていただきます。チケットをお持ちで、まだ搭乗手続きをお済ませではないお客様は十五番カウンターで、お急ぎ、搭乗手続きをお済ませください。アナウンスの中で繰り返される熊本という言葉が、空港全体に霧のように漂って、わたしを包み込み、わたしのからだの奥に染み込んでいくような気がした。右隣の男女のトランクにはいろいろな海外のシールが貼られている。プーケットやグアムやハワイ、パリ、香港。きっとこの人たちはそれらのシールの場所に行ったことがあるのだろう。わたしは一度も海外に行ったことがない。

それだったら義足を作る仕事をすればいいじゃないか、サイトウがそう言って、わたしはびっくりした。わたしたちはまだ裸でベッドの中にいて、胸や腹にはまだ汗が残っていた。仕事ってそんなの無理よ、とわたしが笑いながら言うと、どうして無理なんだよ？　とサイトウが聞いた。どうして無理なのか、そんなことを考えたことはなかった。無理だと思う理由は、わたしが高卒で、すでに三十三歳になろうとしていて、離婚歴があって、しかも四歳の子どもがいて、風俗で働いている、そういうことだ。それらはわたしの自由と可能性の限界で、しかもわたし自身だった。そんなことを考えたくはなかったのだ。わたしは悲しくなってサイトウの腕の中に潜り込み、彼の手を握って自分の頬に当てた。映画のことなんか話すんじゃなかったと後悔した。サイトウはずっとわたしの頬を撫でながら、無理なんかじゃないよ、と囁くように何度か言った。

わたしは空港の中を見回す。ここにはありとあらゆるものがあると思った。天井の大きな部分は吹き抜けになっていて、上の階にはレストランやショップがあって、ペルシャ絨毯から生理用品まで、何でも売っている。ロビーの一角にはテレビが備え付けてある。午前中のワイドショーが放映されていて、二十一歳の孫からガソリンをかけられて焼き殺された資産家の老婦人が話題になっていた。右隣の若い男女はお互いに別の誰かにメールを送っているようだ。旅がどれだけ楽しかったかを友人に伝えているのだろう。ハネムーンかも知れない。二十代の二人が新婚旅行の楽しさをメールでそれぞれの友人に書き送る。それはごく自然なことだ。初老の女が無表情で連れ合いが喫煙コーナーから戻るのを待つのもごく自然だし、孫に焼き殺された老婦人に対してワイドショーの出演者が同情するのも自然だ。だが三十三歳で子持ちでバツイチで風俗で働く女が、地雷で足を失った人のために義足を作りたいと思うのは異常だ。だから誰にも言えなかった。

いつかおれの仕事のことを話したけど憶えてる？　頬を撫でていた手を離して、サイトウがそう聞き、わたしはうなずいた。おれの仕事はいろいろな会社のシステムソリューションを考えることなんだけどね。ソリューションというのは、解決すべき問題が何なのか把握していないとわかるわけがない。ほとんどの日本の経営者は勘違いしていて、高いコンサルティングフィーを払っているんだから、生産性を上げるソリューションをとにかく示してくれって言う人が多いんだよ。お聞きしますがあなたは何が問題だと思っているんですか。そう聞くと怒り出す人もいる。それを考えるのがお前の仕事だろうって怒り出すんだけど、要は何が問題なのかわかってないから、怒ってごまかすだけなんだよね。原因がわかってないと、ものごとは絶対に解決できないんだ。ユイさんは自分の何が問題なのかを知っている。だから解決策を発見したんだよ。わたしの頬に手を伸ばしながら、サイトウはそういうことを言った。

チェックインカウンターはわたしの右手にあった。その手前に、預ける荷物を検査する機械があって、人々はコンベアに荷物を乗せる。内部を透かして見る装置をくぐり抜けた荷物にコンベアの向こう側で警備員がチェック済みのシールを貼っている。わたしのバッグは布製の古いセリーヌで、昔旅行に行ったときのタグが付いたままだった。ボロボロになった長方形のタグには、札幌、と記してある。子どもが生まれる前に夫と行った旅行だった。小さな工場だったし、ずっと不景気が続いたので夫は休みがなかった。土日も書類を家に持って帰って遅くまで仕事をしたし、受注先への接待も少なくなかった。結婚前にわたしが雪祭りが見たいと言ったのを夫は憶えていて、二日間だけ休みをとったのだった。二人で大通公園を歩いて雪像を眺め、昼には時計台の近くでラーメンを食べ、夜は毛ガニを食べた。それだけだったが、わたしには大切な思い出で、それでそのときのタグをバッグから外さないでつけたままにしておいた。

離婚してからも夫は子どもに会いに来たし、わたしたちはときどき会って食事をしたが、最近はそういう機会が極端に少なくなった。たまに電話が来るが夫は元気のない声で、すまないなあといつも謝る。本人はそんなことは一言も言わないが、閉鎖した工場の後始末が大変なのだろうと思う。夫はもちろんわたしが風俗で働いていることを知らない。もし知ったら、教育に悪いと子どもを引き取ろうとするだろうか。三日前にサイトウと会ったとき、いろいろと話したあとに、わたしは勇気を出して、風俗で働いていることを軽蔑しない？　と聞いた。サイトウはしばらく黙ったあとで、自殺したり、誰かに頼ったりするよりはいいと思う、と答えた。そして、その資料を見せてくれた。

義足を作る人は義肢装具士と呼ばれていて、国家試験がある。インターネットのページをプリントアウトしたものをわたしに示しながら、サイトウはそう言った。義肢というのはからだの一部に欠損のある人に対して失われた機能の代わりになるような器具で、装具というのは腰や腕や足や手などからだの機能に障害がある人の機能回復や能力低下を防ぐための器具だった。義肢装具士になるためには養成校を卒業しなければならない。期間は三年で、全国で五カ所しかなかった。おれはここがいいと思うんだ。サイトウが推薦する学校の一つは熊本にあった。プリントアウトされた資料の中に実際に学生たちが義肢を製作している写真があった。女の学生が、中年の男の左足の欠損部分をメジャーのようなもので測っていた。不思議なことに、その写真を見ているうちに、義肢を作ることが身近なものに思えてきた。

そのことをサイトウに言った。義足がパラシュートで降りてくる映画を見たあと、どうすれば義肢を作る人になれるのか、何度もネットで検索しようと思った。でも不安になってすぐに止めた。義肢を作ることを真剣に考えるのが恐かった。どうせすぐにあきらめなければいけないと思ったからだ。三十三歳の子持ちでバツイチで風俗で働く女には絶対に無理だと思ったし、だいいち何から手をつければいいのかわからなかった。サイトウが、熊本に行ってまず学校とそのまわりを見てみようと言った。実際に学校を見るともっと身近に感じられるかも知れないよ。入学金と授業料が書かれたページを見てわたしはため息をついた。入学金が五十万、年間授業料が六十万、実験実習費が年額で四十万、施設充実費が年額で二十万、入学時に合計百七十万が必要だった。そんなお金があるわけがない。そういうことを言うと、今そんなことを心配してもしょうがないだろうとサイトウは微笑んだ。どうせ今年の受験は無理だ。日程的にも遅すぎるし、学科試験や面接もあるので今のユイさんが受かるわけがない。勉強しないと。どうせ受験するのは来年だ。だから授業料のことを考えるのはあとでいいじゃないか。

喫煙所にいた初老の男が戻ってきた。女は無表情のまま席を立って椅子を譲った。男が何か言って、女はハンドバッグの中からセロファンに包まれたクッキーかマロングラッセのようなものを差し出した。男はセロファンをむしり取ると、立ったままの女にそれを渡した。女は立ったまま、またセロファンを折りたたみ始めた。右隣の若い男女はメールを打ち終わった。男は大きな水色のトランクにからだをもたれさせている。携帯をポケットに仕舞いながら、女がちらりとわたしの背後を見た。わたしの頰に革の感触があった。

「外は寒いよ」

革の手袋をしたサイトウが後ろに立っていた。初老の女の手の中でセロファンが半分の大きさになろうとしている。

# あとがき

この短編集に収められた作品は、幻冬舎編集の留学情報誌のために書き始めた。雑誌の性格上、留学のために海外に出て行く人物を主人公にした。わたしは、居酒屋や公園やコンビニなど、日本のどこにでもある場所を舞台にして、時間を凝縮した手法を使って、海外に留学することが唯一の希望であるような人間を書こうと思った。考えてみれば閉塞感の強まる日本の社会において、海外に出るというのは残された数少ない希望であるのかも知れない。

海外に出発する、というラストシーンは昔から映画や小説でよく使われてきた。日本社会の煩わしさから脱出し、未知の土地に希望を見いだすというニュアンスがあったのだと思う。昔の主人公たちは、アフリカや南米やシベリアという「未知の土地」に、日本社会では果たせない自己実現を求めて旅立っていった。それは、日本の近代化から遠ざかるということで、基本的にロマンチックな行為だった。アフリカや南米やシベリアが「未知」だったから、ロマンチシズムが成立したのだ。外貨がなく、海外旅行といえばまだＪＡＬパックくらいしかなかった時代のロマンだ。

近代化を達成したあとの日本社会にはアフリカだろうが南米だろうが情報があふれていて、それらの土地に旅立つだけではロマンチシズムは得られない。現代の出発は、閉塞して充実感を得られない日本社会からの戦略的な逃避でなければならない。

駅前、カラオケルーム、空港、披露宴会場という、どこにでもある四つの場所を舞台にした短編は「オール讀物」に連載した。わたしはそれらの短編に何か希望のようなものを書き込みたかった。希望というのは、将来が今よりも良いものになるだろうという思いだ。近代化途上の日本は貧しかったが、希望だけはあった。

「この国には何でもある。本当にいろいろなものがあります。だが、希望だけがない」

そういう台詞を中学生が言う長編小説を書いてから、希望について考えることが多くなった。社会の絶望や退廃を描くことは、今や非常に簡単だ。ありとあらゆる場所に、絶望と退廃があふれかえっている。強力に近代化が推し進められていたころは、そのネガティブな側面を描くことが文学の使命だった。近代化の陰で差別される人や、取り残される人、押しつぶされる人、近代化を拒否する人などを日本近代文学は描いてきた。近代化が終焉して久しい現代に、そんな手法とテーマの小説はもう必要ではない。

この短編集には、それぞれの登場人物固有の希望を書き込みたかった。社会的な希望ではない。他人と共有することのできない個別の希望だ。

幻冬舎の連載では石原正康君の、「オール讀物」では山田憲和君の助力を得た。単行本化にあたっては出版部の森正明君にお世話になった。みなさんに感謝します。

二〇〇三年早春　アラスカにて

村上　龍

初出誌
コンビニにて　「Ｗｉｓｈ」ＶＯＬ.５　２００１年
居酒屋にて　「Ｗｉｓｈ」ＶＯＬ.３　２０００年
公園にて　「Ｗｉｓｈ」ＶＯＬ.４　２００１年
カラオケルームにて　「オール讀物」２００１年１月号
披露宴会場にて　「オール讀物」２００３年３月号
クリスマス　「グリーティングブックドットコム」
駅前にて　「オール讀物」２００３年２月号
空港にて　「オール讀物」２００３年１月号

単行本「どこにでもある場所とどこにもいないわたし」
２００３年４月　文藝春秋刊（文庫化にあたり改題）

文春文庫



# 空《くう》港《こう》にて

定価はカバーに
表示してあります

2005年5月10日　第1刷
2007年7月15日　第9刷

著　者　村《むら》上《かみ》龍《りゅう》
発行者　村上和宏
発行所　株式会社　文藝春秋
東京都千代田区紀尾井町3-23　〒102-8008
TEL　03・3265・1211
文藝春秋ホームページ　http://www.bunshun.co.jp
文春ウェブ文庫　http://www.bunshunplaza.com

落丁、乱丁本は、お手数ですが小社製作部宛お送り下さい。送料小社負担でお取替致します。

印刷・凸版印刷　製本・加藤製本
Printed in Japan
ISBN4-16-719006-0

# 文春文庫

## 花村萬月の本

（　）内は解説者。品切の節はご容赦下さい。

花村萬月
**触角記**
次郎、十七歳。吉祥寺でギターを習う他は毎日退屈——。そんな時、音楽講師に誘われ性を体験して世界が変わる。昨日とは丸っきり違う今日。愛しき少年の時間を描く青春長篇。（室井佑月）
は-19-2

花村萬月
**月の光**（ルナティック）
改造バイクで暴走する物書きのジョーは、麻薬漬けの知人を救出するため、絶世の美女にして空手の有段者・律子と、狂信者集団に潜入する。性と麻薬と宗教を描いたハードボイルド長篇。
は-19-4

花村萬月
**ゲルマニウムの夜** 王国記Ⅰ
人を殺し、育った修道院に舞い戻った青年・朧《ろう》は、なおも修道女を犯し、暴力の衝動に身を任せる。世紀末に暴走する「神の子」を描いた戦慄の芥川賞受賞作。（解説対談　小川国夫）
は-19-3

花村萬月
**ブエナ・ビスタ** 王国記Ⅱ
殺人の咎を逃れるため、修道院兼教護院に身を寄せている青年・朧。性と暴力の衝動の中、朧は「神」について考え続ける。芥川賞受賞の「ゲルマニウムの夜」の傑作続篇。（小川国夫）
は-19-5

花村萬月
**汀《みぎわ》にて** 王国記Ⅲ
アスピラントの教子に誘われて施設を逃げ出し、長崎・五島列島に向かった朧。島を彷徨う中、朧は殺人者の横貌を垣間見せる。「ゲルマニウムの夜」に始まる「王国記」シリーズ第三弾。
は-19-6

花村萬月
**雲の影** 王国記Ⅳ
アスピラントの教子とともに施設を脱出し、長崎・五島列島にたどり着いた朧。隠れキリシタンの島で深く感応しあう二人に、〝ヴィジョン〟は到来するのか？「王国記」シリーズ第四弾。
は-19-7

## 豚の報い
又吉栄喜

ある日、突然スナックに豚が闖入してきた。厄を落とすため正吉と三人の女は真謝島へと向かう。素朴でユーモラスな沖縄の生活を描く芥川賞受賞作。「背中の夾竹桃」を収録。（崔洋一）

ま-13-1

## くっすん大黒
町田康

すべては大黒を捨てようとしたことから始まった――爆裂する言葉、堕落の美学。日本文学史に新世紀を切り拓き、熱狂的支持を得た衝撃のデビュー作。「河原のアパラ」併録。（三浦雅士）

ま-15-1

## 屈辱ポンチ
町田康

ひょんなことから友に復讐することになり、さまざまな嫌がらせに狂奔する俺と帆一。おかしな二人の珍道中を独特の文体とリズムで描く。「けものがれ、俺らの猿と」併録。（保坂和志）

ま-15-2

## きれぎれ
町田康

俺は浪費家で酒乱、ランパブ通いが趣味の絵描き。下手な絵で認められ成功している厭味な幼友達の美人妻に恋慕し、策謀を練ったが……。「人生の聖」併録。芥川賞受賞作。（池澤夏樹）

ま-15-3

## もののたはむれ
松浦寿輝

「永遠って、いつまで経っても終らないってことでしょう」――うらぶれた街で映画館に入り、路面電車に乗り、夢と現のあわいを彷徨う十四夜。芥川賞作家の幻の処女作。（三浦雅士）

ま-19-1

## サーチエンジン・システムクラッシュ
宮沢章夫

「アブノーマル・レッド」という風俗店を探して、池袋の街をさまよい歩くうちに不条理の迷宮にはまりこんでしまう。現代演劇の鬼才、衝撃の小説デビュー作。「草の上のキューブ」を併録。

み-28-1

（　）内は解説者。品切の節はご容赦下さい。

**希望の国のエクソダス**
村上龍
二〇〇二年秋、八十万人の中学生が学校を捨てた！　経済の大停滞が続く日本で彼らはネットビジネスを展開し、遂には世界経済を覆すのだが……。現代日本の絶望と希望を描いた傑作長篇。
む-11-2

**空港にて**
村上龍
コンビニ、居酒屋、カラオケルーム、空港……。日本のどこにでもある場所を舞台に、時間を凝縮させた手法を使って、他人とは共有することのできない個別の希望を描いた短篇小説集。
む-11-3

**トラッシュ**
山田詠美
黒人の男「リック」を愛した「ココ」。ボーイフレンド、男の昔の女たち、白人、ゲイ……、人びとが織りなす愛憎の形を、言葉を尽くして描く著者渾身の長篇。女流文学賞受賞。（宮本輝）
や-23-1

**快楽の動詞**
山田詠美
なぜ女は「いく」「死ぬ」なんて口走るのか？　奔放きわまる文章と、繊細緻密な思考で日本語と日本ブンガクの現状を笑いのめす深淵かつ軽妙なるクリティーク小説集。（奥泉光）
や-23-3

**姫君**
山田詠美
自分が生と死の境に立っていようとも、人は恋をする。なぜなら……。人を愛することで初めて生ずる恐怖、〝聖なる残酷〟に彩られた、最高に贅沢な愛と死のシミュレーション！（金原ひとみ）
や-23-5

**水滴**
目取真俊
六月のある日、右足が腫れて水が噴き出した。夜な夜なそれを飲みにくる男達は誰か？　沖縄を舞台に過去と現在が交錯する芥川賞受賞作。「風音」「オキナワン・ブック・レヴュー」併録。
め-1-1

（　）内は解説者。品切の節はご容赦下さい。

矢作俊彦
**夏のエンジン**
ベンツ、ビートル、マスタング、スカイライン、アルファロメオ……いつでも車がそばにあった。陰のキャラクターとして存在感を放つ個性的な名車と、若い男女が織り成す十二の物語。
や-33-1

矢作俊彦
**ららら科學の子**
殺人未遂に問われ、中国へ逃亡した男が三十年ぶりに日本に帰還した。五十歳の少年は、一九六八年の『今』と未来世紀の東京を二本の足で飛翔する――。話題沸騰の三島由紀夫賞受賞作。
や-33-2

山本文緒
**プラナリア**
乳がんの手術以来、何もかも面倒くさい二十五歳の春香。矛盾する自分に疲れ果てるが出口は見えない――。現代の〝無職〟をめぐる心模様を描いたベストセラー短篇集。直木賞受賞作。
や-35-1

山本文緒
**群青の夜の羽毛布**
丘の上の家で暮らす不思議な女性に惹かれる大学生の鉄男。彼女は母親に怯え、他人とうまく付き合えない――。恋愛の先にある家族の濃い闇を描き、熱狂的に支持された傑作長篇。
や-35-2

村田喜代子
**蕨野行**《わらびのこう》
押伏村には、六十歳を越えると蕨野へ棄てられる掟がある。老人たちの悲惨で滑稽な集団生活。死してなお魂の生き永らえる道はあるか？　平成日本によみがえる棄老伝説！（辺見庸）
む-6-2

柳美里
**フルハウス**
本物になりたいけどなれないニセモノ家族の奮闘を描く表題作と、不倫の顚末をコミカルに描く「もやし」。芥川賞作家の初期力作二篇。泉鏡花文学賞・野間文芸新人賞受賞作。（山本直樹）
ゆ-4-1

小説

（　）内は解説者。品切の節はご容赦下さい。

柳美里
## タイル
離婚した男は、部屋中にタイルを敷いてゆく――。盗聴器に聞き耳をたてるオーナー、呼び出された女流作家。都市に潜む恐怖と殺意を描き出したホラー純文学の傑作。（三國連太郎）
ゆ-4-3

柳美里
## 女学生の友
退職老人と、女子高生。孤独な二人が共謀して巻き起こした恐喝事件の顚末は。衝撃の小学生集団レイプを描いた「少年倶楽部」併録。ハイビジョンでドラマ化された話題作。（秋元康）
ゆ-4-4

吉田修一
## 最後の息子
オカマと同棲して気楽な日々を過ごす「ぼく」のビデオ日記に残されていた映像とは……。爽快感200％、とってもキュートな青春小説。第84回文學界新人賞受賞作。「破片」「Water」併録。

よ-19-1

吉田修一
## 熱帯魚
大工の大輔は子連れの美人と結婚するのだが、二人の間には微妙な温度差が生じはじめて……。果たして、彼にとって恋とは何だったのか。60年代生まれのひりひりする青春を描いた傑作。

よ-19-2

吉田修一
## パーク・ライフ
日比谷公園で偶然にも再会したのは、ぼくが地下鉄で話しかけてしまった女性だった。なんとなく見えていた東京の景色が、せつないほどリアルに動き始める。芥川賞を受賞した傑作小説。

よ-19-3

若合春侑《わかいすう》
## 脳病院へまゐります。
昭和初期、濃密な男女のSM世界。愛する男から虐げられつづける女にとって、魂の救済とは何だったのか――。第八十六回文學界新人賞を受賞して注目を集めた究極の情痴小説！（島田雅彦）
わ-11-1

# 文春文庫

## 小説

吉本ばなな
### 体は全部知っている
日常に慣れることで忘れていた、ささやかだけれど、とても大切な感情――心と体、風景までもがひとつになって癒される傑作短篇集。「みどりのゆび」「黒いあげは」他、全十三篇収録。

よ-20-1

よしもとばなな
### デッドエンドの思い出
人の心の中にはどれだけの宝が眠っているのだろうか――。どんなにつらくても、時の流れとともにいきいきと輝いてくる思い出の数々、かけがえのない一瞬を鮮やかに描く珠玉の短篇集。

よ-20-2

吉村萬壱
### クチュクチュバーン
ある日突然、世界の全てが変わる。蜘蛛女、シマウマ男に犬人間……地球規模で新たな進化が始まった？　奇想に次ぐ奇想で小説界を震撼させた芥川賞作家のデビュー作。（椹木野衣）
よ-25-1

吉村萬壱
### ハリガネムシ
愛ではない、堕落でもない。「あの女」からもうひとつの世界を知った、それだけ。身の内に潜む〈悪〉を描き切った驚愕・衝撃の芥川賞受賞作。単行本未収録「岬行」併録。（中原昌也）
よ-25-2

田口ランディ
### 富士山
古代より日本人に信仰されている霊峰富士。いまを生きる青年や少女たちは、あの山を見上げたときに何を感じるのか？　美しい光がこの世を照らし出す、魂の中篇小説集！（川村湊）
た-61-1

笙野頼子
### タイムスリップ・コンビナート
電話の主はマグロかスーパージェッターか？　時間と空間がとめどなく歪み崩れていく「海芝浦」への旅が始まった。芥川賞受賞の表題作他、「下落合の向こう」「シビレル夢の水」を収録。

し-30-1